LET'S GE

T	O	P	A	S					
I	S	H	O	T					
C	A	R	G	E	N	T	A	U	O
K	S	A	N	D	D	S	L	N	T
E	H	S	K	D	A	W	R	S	H
T	O	E	W	Y	L	E	S	C	B
S	R	B	A	B	S	A	L	R	R
H	T	O	W	E	L	T	R	E	U
L	S	O	W	A	T	E	R	E	S
E	S	K	I	R	T	R	A	N	H

SKIRT
TICKETS
SUNSCREEN
PHRASEBOOK
SWEATER
WATER
TOWEL
SHORTS
SANDALS
TOOTHBRUSH
TEDDY BEAR
PASSPORT

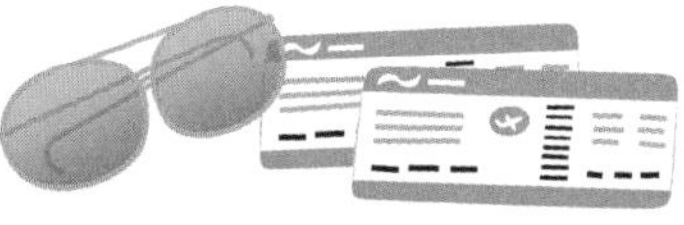

2

ON THE ROAD

H	O	T	M	L	C	P	A	E	M
I	T	R	D	U	T	R	U	N	O
G	R	E	E	N	L	I	G	H	T
H	A	D	R	I	V	E	B	N	O
W	F	L	I	W	G	S	H	B	R
A	F	I	C	A	R	P	N	R	C
Y	I	G	M	O	N	E	W	A	Y
S	C	H	R	E	D	E	L	K	C
K	U	T	U	R	N	D	F	E	L
R	O	A	D	S	I	G	N	S	E

U-TURN
GREEN LIGHT
CAR
ONE WAY
TRAFFIC
BRAKES
RED LIGHT
SPEED
HIGHWAY
MOTORCYCLE
DRIVE
ROAD SIGNS

P	I	B	R	A	G	T	A	N	H
A	C	C	E	L	E	R	A	T	E
S	E	S	R	S	E	U	C	O	A
S	R	V	E	E	S	C	L	V	D
E	T	O	V	A	U	K	R	E	L
N	A	D	E	T	O	U	R	R	I
G	A	I	R	B	A	G	L	T	G
E	C	B	S	E	L	E	R	A	H
R	F	U	E	L	T	A	N	K	T
S	E	S	A	T	L	A	N	E	S

HEADLIGHTS
LANES
ACCELERATE
OVERTAKE
REVERSE
SEATBELT
DETOUR
FUEL TANK
AIRBAG
TRUCK
PASSENGERS
BUS

MAPS

C	R	E	F	E	M	P	L	S	H
O	L	D	A	T	E	L	I	N	E
N	O	R	T	H	R	J	E	O	M
T	R	O	P	I	C	S	Q	R	I
I	F	W	E	R	A	O	U	T	S
N	C	E	R	A	T	L	A	S	P
E	A	S	T	S	O	U	T	H	H
N	I	T	N	E	R	K	O	Z	E
T	P	O	R	I	C	S	R	W	R
H	R	E	F	E	R	E	N	C	E

HEMISPHERE
CONTINENT
EQUATOR
TROPICS
SOUTH

EAST
WEST
ATLAS
NORTH
DATE LINE
MERCATOR
REFERENCE

S M Z O M S C A E L
R E L I K I S X E O
P R O J E C T I O N
T I S E Y G Y S T G
K D Y R E L I E F I
T I M E Z O N E S T
M A B S Y B O L S U
Z N O E S E G R I D
R E L A T I T U D E
G R S C A L E N E S
PROJECTION
AXIS
LONGITUDE
LATITUDE
GLOBE
SYMBOLS
RELIEF
MERIDIAN
SCALE
GRID
TIME ZONES
KEY

TRAIN TRAVEL

T	I	P	L	A	T	F	O	R	M
R	A	T	E	S	R	N	A	D	I
A	S	I	G	N	A	L	E	I	N
V	B	C	J	I	R	S	T	E	D
E	A	K	B	C	A	R	I	S	T
L	R	E	B	R	I	D	G	E	H
C	R	T	H	E	L	I	S	L	E
A	I	L	A	I	S	L	E	L	G
R	E	X	P	R	E	S	S	F	A
D	R	I	V	E	R	O	V	D	P

MIND THE GAP
PLATFORM
AISLE
DRIVER
BARRIER
TRAVELCARD
EXPRESS
BRIDGE
SIGNAL
DIESEL
TICKET
RAILS

S	B	U	F	F	E	T	C	A	R
T	L	N	I	R	T	F	Z	L	C
A	U	T	R	E	R	U	R	N	O
N	G	A	S	T	A	T	I	O	N
D	G	N	T	U	C	T	R	T	D
A	A	V	C	R	K	S	S	U	U
R	G	T	L	N	N	E	L	N	C
D	E	L	A	Y	E	D	H	N	T
F	I	R	S	I	N	G	L	E	O
C	R	O	S	S	I	N	G	L	R

CONDUCTOR
STANDARD
DELAYED

SINGLE
TUNNEL
STATION
CROSSING
FIRST CLASS

BUFFET CAR
LUGGAGE
RETURN
TRACK

AT THE AIRPORT

A	D	E	C	O	N	O	M	Y	L
D	E	P	A	S	S	P	O	R	T
O	L	L	R	Y	G	A	T	C	R
M	A	I	R	L	I	N	E	L	O
E	Y	C	Y	N	O	M	R	O	L
S	S	P	O	R	T	C	M	U	L
T	E	R	N	I	M	V	I	N	E
I	B	O	A	R	D	I	N	G	Y
C	U	S	T	O	M	S	A	E	O
P	A	R	R	I	V	A	L	S	N

PASSPORT
DOMESTIC
TERMINAL
TROLLEY
LOUNGE
DELAY

VISA
AIRLINE
CUSTOMS
ECONOMY

CARRY-ON
BOARDING
ARRIVALS

C	A	R	O	U	S	E	L	V	F
L	I	G	H	T	X	T	U	G	I
O	S	E	C	U	R	I	T	Y	R
N	B	M	H	H	A	C	R	S	S
G	A	T	E	S	F	K	C	H	T
H	G	V	C	X	L	E	D	U	C
A	G	G	K	R	I	T	Q	T	L
U	A	U	I	A	G	E	N	T	A
L	G	U	N	Y	H	A	U	L	S
D	E	P	A	R	T	U	R	E	S

FIRST CLASS
CAROUSEL
CHECK-IN
FLIGHT
GATES
AGENT
SHUTTLE
BAGGAGE
DEPARTURES
LONG HAUL
SECURITY
E-TICKET
X-RAY

OCEAN CRUISE

M	O	O	R	I	N	G	A	L	S
L	I	F	E	J	A	C	K	E	T
A	V	O	S	C	T	A	F	T	A
P	O	R	T	K	R	P	Q	G	R
T	Y	W	A	V	I	T	Y	A	B
C	A	A	U	W	U	A	C	L	O
A	G	R	R	E	M	I	S	L	A
B	E	D	A	T	E	N	D	E	R
I	T	I	N	E	R	A	R	Y	D
N	A	R	T	E	D	E	C	K	R

DECK
GALLEY
VOYAGE
FORWARD
LIFE JACKET

RESTAURANT
ITINERARY
CAPTAIN
TENDER
PORT
AFT

CABIN
ATRIUM
MOORING
STARBOARD

S	P	R	O	M	E	N	A	D	E
D	O	K	C	S	B	O	B	I	P
B	R	I	D	G	E	L	O	S	O
S	T	E	W	A	R	D	A	E	R
T	O	M	E	N	T	O	R	M	T
E	F	C	A	G	H	C	D	B	H
R	C	B	O	W	A	K	F	A	O
N	A	S	E	A	D	A	Y	R	L
G	L	N	G	Y	A	W	A	K	E
S	L	I	D	O	D	E	C	K	R

DISEMBARK	WAKE	PORT OF CALL
GANGWAY	DOCK	LIDO DECK
SEA DAY	ABOARD	STEWARD
BERTH	PORTHOLE	BRIDGE
BOW	PROMENADE	STERN

IN THE AIR

P	L	O	T	D	O	C	K	E	R
A	L	T	B	E	X	I	T	S	C
S	A	F	E	T	Y	D	E	M	O
S	N	G	A	C	G	R	L	K	P
E	D	E	T	A	E	L	O	A	I
N	I	A	T	P	N	T	C	I	L
G	N	D	G	T	O	C	K	S	O
E	G	S	E	A	T	B	E	L	T
R	C	A	B	I	N	C	R	E	W
A	T	T	E	N	D	A	N	T	U

SAFETY DEMO
ATTENDANT
SEATBELT
LOCKER
ETA
EXITS
OXYGEN
CAPTAIN
PASSENGER
CABIN CREW
LANDING
COPILOT
AISLE

B	L	A	N	K	E	T	Z	T	W
W	I	N	J	S	G	Q	W	U	I
A	F	M	E	A	L	P	I	R	N
C	E	S	T	E	A	T	N	B	D
O	V	J	E	T	L	A	G	U	O
C	E	A	N	K	E	T	S	L	W
K	S	L	G	M	O	V	I	E	S
P	T	A	I	L	P	L	A	N	E
I	R	U	N	W	A	Y	R	C	A
T	A	K	E	O	F	F	L	E	T

WINDOW SEAT
TAILPLANE
TAKEOFF
JETLAG

MEAL
MOVIES
COCKPIT
LIFE VEST

TURBULENCE
JET ENGINE
BLANKET
RUNWAY
WINGS

CAMPING AND TREKKING

F	I	R	S	T	A	I	D	K	I	T
I	B	A	U	K	F	A	Q	K	M	P
S	E	A	R	B	E	L	S	V	L	W
H	A	N	V	E	R	C	K	P	A	I
I	R	A	I	N	C	O	A	T	F	L
N	B	I	V	O	U	M	E	R	N	D
G	E	B	A	C	K	P	A	C	K	L
R	L	I	L	F	W	A	T	E	R	I
O	L	N	G	F	I	S	H	I	O	F
D	S	L	A	N	D	S	C	A	P	E
H	I	K	I	N	G	P	O	L	E	S

HIKING POLES
RAINCOAT
BEAR BELLS
FIRST AID KIT
FISHING ROD
WILDLIFE
LANDSCAPE
BACKPACK
COMPASS
SURVIVAL
WATER
ROPE

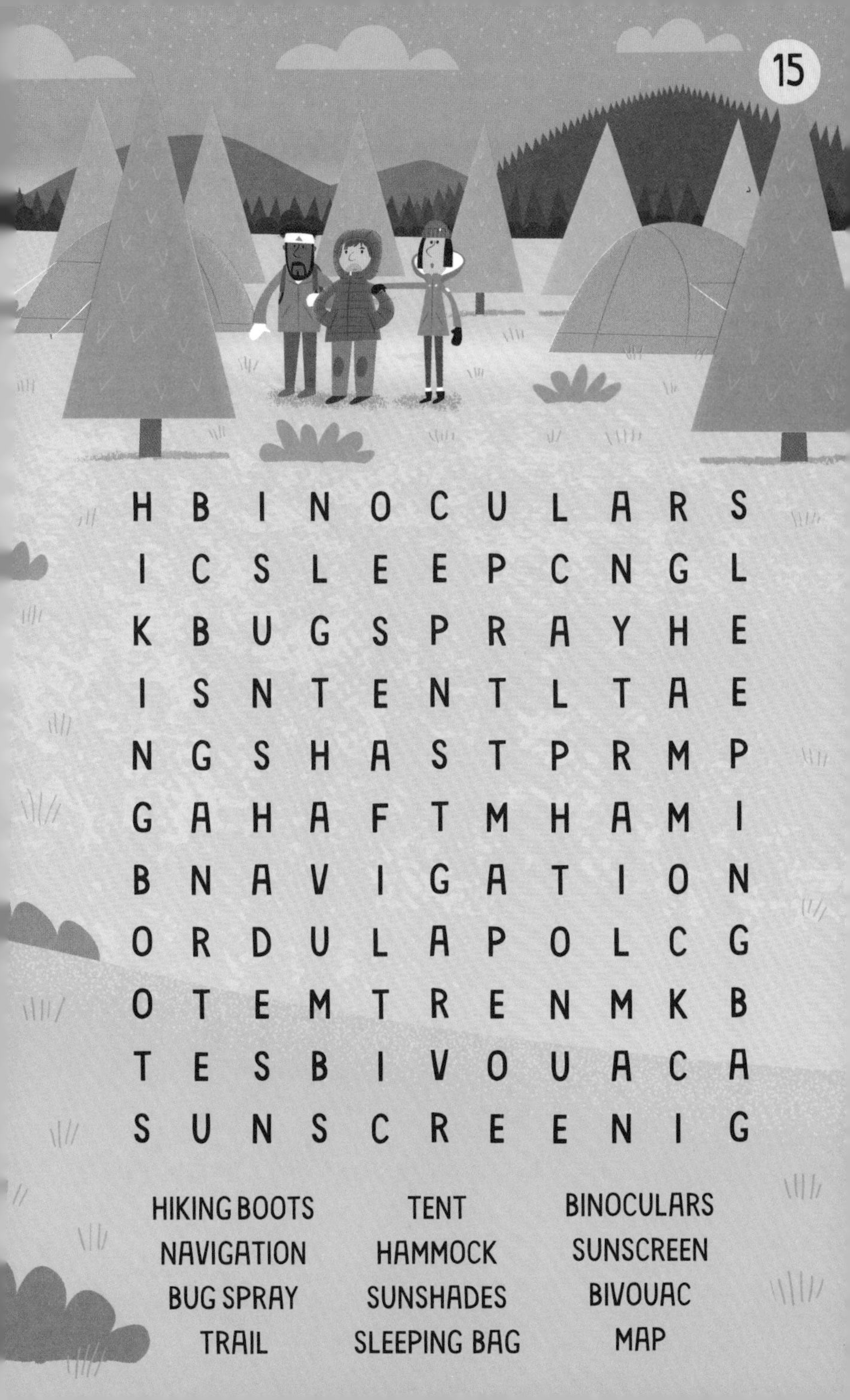
H B I N O C U L A R S
I C S L E E P C N G L
K B U G S P R A Y H E
I S N T E N T L T A E
N G S H A S T P R M P
G A H A F T M H A M I
B N A V I G A T I O N
O R D U L A P O L C G
O T E M T R E N M K B
T E S B I V O U A C A
S U N S C R E E N I G
HIKING BOOTS
TENT
BINOCULARS
NAVIGATION
HAMMOCK
SUNSCREEN
BUG SPRAY
SUNSHADES
BIVOUAC
TRAIL
SLEEPING BAG
MAP

MEXICO

T	H	E	B	L	U	E	H	O	U	S	E
E	L	C	A	S	T	I	L	L	O	O	M
O	A	H	A	C	A	N	C	U	N	M	E
T	O	I	M	N	K	N	Q	Z	P	B	X
I	A	C	A	P	U	L	C	O	A	R	I
H	X	H	R	U	L	T	E	C	L	E	C
U	A	E	I	E	X	I	C	A	E	R	O
A	C	N	A	B	P	J	C	L	N	O	C
C	A	I	C	L	P	U	B	O	Q	S	I
A	L	T	H	A	C	A	R	L	U	C	T
N	R	Z	I	C	A	N	A	P	E	R	Y
G	U	A	D	A	L	A	J	A	R	A	S

CHICHEN ITZA
EL CASTILLO
CANCUN
OAXACA
PALENQUE
TEOTIHUACAN
PUEBLA
TIJUANA
MARIACHI
GUADALAJARA
ACAPULCO
SOMBREROS
MEXICO CITY
THE BLUE HOUSE
ZOCALO

FAMOUS SPORTS VENUES

G	O	A	L	D	T	R	A	F	B	I	D
I	L	Z	P	O	H	L	E	M	A	N	S
N	D	T	I	A	E	N	C	P	D	D	R
R	T	E	N	L	B	G	A	L	M	I	N
O	R	C	T	S	I	R	M	Z	I	A	G
S	A	S	E	W	R	I	P	L	N	N	D
E	F	T	R	A	D	M	N	O	T	A	N
B	F	A	L	A	S	C	O	T	O	P	N
O	O	D	A	F	N	C	U	P	N	O	U
W	R	I	G	L	E	Y	F	I	E	L	D
L	D	U	O	R	S	E	B	O	W	I	S
L	E	M	S	N	T	A	P	C	L	S	N

ASCOT
LE MANS
INTERLAGOS

AZTEC STADIUM
THE BIRD'S NEST
OLD TRAFFORD
INDIANAPOLIS

CAMP NOU
ROSE BOWL
BADMINTON
WRIGLEY FIELD

MIDDLE EAST

A	H	L	E	B	A	A	L	B	E	K	H
S	K	E	R	A	K	C	A	S	T	L	E
T	Z	A	H	H	P	A	L	M	Y	R	A
W	A	D	I	R	U	M	E	X	T	J	H
L	A	A	B	A	Z	C	B	P	J	E	R
M	D	I	N	I	Z	W	A	F	O	R	T
S	E	A	O	N	F	P	N	S	R	U	H
M	A	S	A	D	A	E	O	Z	D	S	S
J	D	O	R	A	N	T	N	S	A	A	P
A	S	M	A	S	Y	R	I	A	N	L	Q
S	E	A	O	F	G	A	L	I	L	E	E
O	A	N	M	S	D	A	K	E	R	M	K

JERUSALEM
SEA OF GALILEE
MASADA
LEBANON
BAALBEK
DEAD SEA

JORDAN
PETRA
WADI RUM
KERAK CASTLE
PALMYRA
SYRIA

OMAN
NIZWA FORT
BAHRAIN

A	P	E	R	S	E	P	O	L	I	S	K
B	S	M	E	C	C	A	L	A	B	G	U
U	A	E	M	R	S	L	T	E	U	R	W
D	U	W	A	I	H	M	N	Q	R	A	A
H	D	U	B	A	I	J	B	E	J	N	I
A	I	R	A	N	R	U	W	Z	K	D	T
B	A	H	U	D	A	M	S	I	H	M	T
I	R	A	Q	N	Z	E	Y	E	A	O	O
P	A	L	U	L	A	I	S	H	L	S	W
A	B	U	R	J	K	R	M	R	I	Q	E
Z	I	G	G	U	R	A	T	O	F	U	R
S	A	I	S	F	A	H	A	N	A	E	S

DUBAI
BURJ KHALIFA
PALM JUMEIRAH
ABU DHABI
GRAND MOSQUE
KUWAIT TOWERS
ZIGGURAT OF UR
IRAQ

SAUDI ARABIA
AL-ULA
MECCA
IRAN
SHIRAZ
ISFAHAN
PERSEPOLIS

PARIS

C A T A C O M B S T E E S
H R S O P B A S T I L L E
A C V E R S A I L L E S I
M D S A C R E C O E U R F
P E N T E H O N M D Z F F
S T O R I V E R S E I N E
E R T B P D V T O L T W L
L I R I V U R S R A N R T
Y O E U O F T O B C Z D O
S M D L E D E L O I T E W
E P A N T H E O N T N V E
E H M A P O N T N E U F R
S E E L O U V R E O N N E

ARC DE TRIOMPHE
METRO
CHAMPS-ELYSEES
EIFFEL TOWER
SORBONNE
ILE DE LA CITE
CATACOMBS
RIVER SEINE
VERSAILLES
PONT NEUF
NOTRE DAME
PANTHEON
BASTILLE
SACRE-COEUR
LOUVRE

WORLD FOODS

J	B	A	G	M	P	R	E	T	Z	E	L	G
P	E	V	L	Y	O	A	Y	Q	G	F	G	E
A	L	R	G	O	Z	U	E	D	O	N	F	R
E	G	G	K	Z	O	T	S	L	U	Y	O	Y
O	I	L	I	C	T	D	T	S	L	I	E	J
V	A	P	D	E	H	V	X	U	A	A	L	F
A	N	S	U	S	H	I	D	X	S	K	F	D
H	W	G	U	L	A	H	C	I	H	I	A	J
P	A	V	L	O	V	A	U	K	W	X	L	Q
B	F	G	D	O	N	E	R	K	E	B	A	B
A	F	L	G	L	F	E	R	L	J	N	F	H
F	L	K	L	I	M	C	Y	R	E	W	E	F
T	E	D	I	M	S	U	M	O	U	S	L	E

BELGIAN WAFFLE
MOUSSAKA
PAVLOVA
DIM SUM
CURRY
PAELLA
FALAFEL
BAGUETTE
JERK CHICKEN
DONER KEBAB
GOULASH
PRETZEL
HAGGIS
PIZZA
SUSHI

SPACE TRAVEL

P	L	A	S	T	R	O	N	A	U	T	T	W
T	A	K	E	T	G	F	R	L	P	E	K	Q
S	P	H	E	H	E	R	C	B	K	Z	H	J
C	O	U	N	R	T	D	W	C	I	G	K	W
X	L	S	P	U	R	B	O	O	S	T	E	R
P	L	N	A	S	T	R	E	J	Y	A	P	M
C	O	U	N	T	D	O	W	N	S	K	F	I
T	E	L	L	E	E	P	L	A	N	E	T	S
O	L	O	S	R	E	L	N	E	L	O	O	S
N	E	R	G	I	S	Y	L	U	N	F	K	I
A	V	A	N	Q	I	S	D	I	J	F	J	O
T	E	E	X	P	L	O	R	A	T	I	O	N
S	N	E	A	T	M	O	S	P	H	E	R	E

APOLLO ELEVEN
COUNTDOWN
THRUSTER
TAKEOFF
ROCKET
NASA
MODULE
PLANETS
SATELLITE
ATMOSPHERE
EXPLORATION
ASTRONAUT
BOOSTER
MISSION
ORBIT

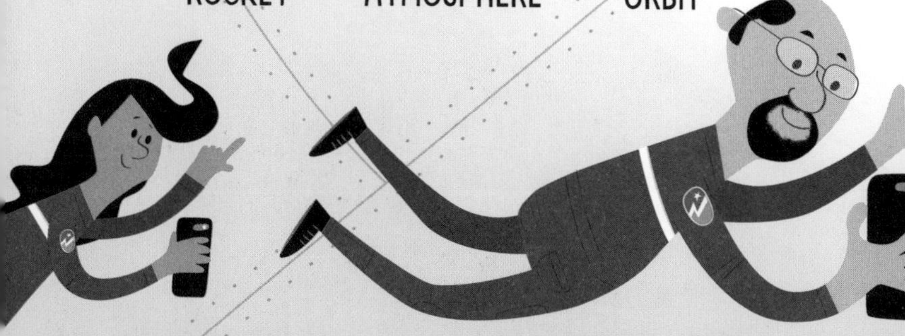

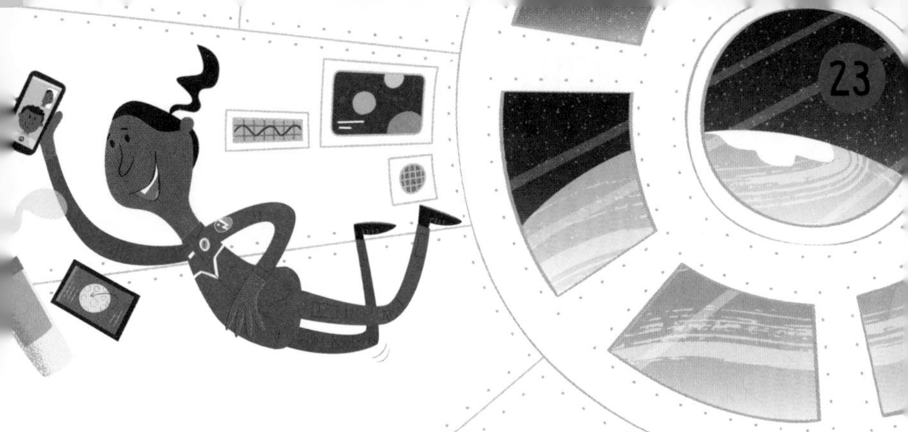

S	P	A	C	D	O	C	K	I	N	G	E	M
C	T	T	O	U	C	H	D	O	W	N	S	I
O	X	A	G	E	P	N	G	C	B	M	O	C
S	Y	U	R	I	G	A	G	A	R	I	N	R
M	P	C	Y	S	R	L	Y	O	A	D	Y	O
O	L	A	U	D	H	H	C	L	R	S	K	G
N	E	P	C	C	S	I	P	R	O	V	E	R
A	D	S	N	E	L	W	P	B	X	A	N	A
U	R	U	G	A	C	A	R	I	Y	N	D	V
T	A	L	N	K	H	R	O	N	G	L	O	I
L	U	E	C	H	S	P	A	C	E	X	L	T
O	X	G	Y	F	N	E	Q	F	N	Z	B	Y
L	S	P	A	C	E	S	T	A	T	I	O	N

SPACE STATION	SPACEX	YURI GAGARIN
SPACECRAFT	DRAGON	TOUCHDOWN
STARSHIP	PAYLOAD	DOCKING
CAPSULE	COSMONAUT	LAUNCH
OXYGEN	MICROGRAVITY	ROVER

NORTH AFRICA

A	I	T	B	E	N	H	A	D	D	O	U	I	P
C	T	U	N	I	S	M	E	D	I	N	A	A	U
A	R	L	B	I	T	B	I	P	C	L	N	C	I
S	I	C	A	R	T	H	A	G	E	G	U	A	W
B	P	A	R	S	M	A	R	R	A	K	E	S	H
A	O	R	D	C	M	C	M	M	A	Z	O	A	B
H	L	M	O	R	C	O	S	O	Y	Z	N	B	B
A	I	Y	M	E	N	I	U	V	R	G	X	L	N
L	L	T	U	N	T	S	I	N	A	O	X	A	H
G	I	G	S	P	W	K	C	G	T	M	C	N	B
I	B	L	E	L	J	E	M	A	G	A	N	C	F
E	Y	L	U	R	P	T	U	N	I	S	I	A	O
R	A	N	M	R	I	Z	A	H	D	H	Z	N	L
S	A	B	L	A	C	A	I	Q	U	L	N	M	S

MOROCCO
CASABLANCA
ATLAS MOUNTAINS
AIT-BEN-HADDOU
MARRAKESH

CASBAH, ALGIERS
ALGERIA
LIBYA
TRIPOLI
LEPTIS MAGNA

TUNISIA
TUNIS MEDINA
BARDO MUSEUM
CARTHAGE
EL JEM

GREAT DESERTS

K	A	L	A	P	T	N	K	L	N	M	A	K	N
C	H	I	H	U	A	H	U	A	N	Q	G	N	P
O	B	T	G	I	K	T	I	Q	F	N	R	U	A
L	K	A	R	A	L	B	A	R	I	M	E	N	G
O	M	Y	T	C	A	Z	F	G	U	H	A	L	N
R	S	S	Z	R	M	Q	H	K	O	W	T	F	T
A	L	K	A	L	A	H	A	R	I	N	V	M	Q
D	S	G	I	H	K	R	S	H	P	K	I	R	N
O	L	O	R	D	A	U	L	F	J	R	C	A	I
A	Y	B	N	K	N	R	M	T	X	O	T	R	N
C	H	I	H	O	H	U	A	M	A	C	O	U	P
E	A	N	T	A	R	C	T	I	C	A	R	Q	K
L	E	N	G	R	E	A	T	B	A	S	I	N	V
A	N	R	A	C	T	I	N	E	F	H	A	B	E

PATAGONIAN
GREAT BASIN
KALAHARI
KYZLKUM
SYRIAN

SAHARA
SONORAN
COLORADO
CHIHUAHUAN
GREAT VICTORIA

TAKLAMAKAN
ANTARCTICA
KARAKUM
ARABIAN
GOBI

SEAS AND OCEANS

Z S P A T L A M T I G R Y T
I B A E R A N G W P I W S H
A R C G I C S O U T H E R N
L B I U A G T M T N H D S A
Y K F L P R N I A E E D O T
P C I F I C A J C N Y E U L
A R C O R A L B I A G L T A
T R E F W R X P I P V L H N
B B E M A N P T C A F F C T
W E D E L I N D I A N Y H I
D F R X L C Y V A T C R I C
M E D I T E R R A N E A N T
S T H C N C A R I B B E A N
S P R O U G H C J U K R A L

MEDITERRANEAN
CARIBBEAN
ATLANTIC
TASMAN
ARCTIC
INDIAN
PACIFIC
ARABIAN
SOUTHERN
GULF OF MEXICO
SOUTH CHINA
PHILIPPINE
WEDDELL
BERING
CORAL

FAMOUS SHIPS

M G O L D E N H I N D K F H
A R L A C H M S B E A G L E
R M D T H M S B O U N T Y B
Y A I M R M S T I T A N I C
C U R T A N Y U V Y M A N U
E L O N T Y A V R A I O G T
L Y N G Y D F O O R S B D T
E A S W I A T L A J L A U Y
S A I L S C M M O U I V T S
T I D E I D A A P W Y K C A
E N E V J T M S T N E G H R
H M S E N D E A V O U R M K
S M M A R Y R O S E B S A V
H M S E A W I S E G I A N T

RMS TITANIC
MAYFLOWER
MARY ROSE
YAMATO
VASA
CUTTY SARK
HMS BEAGLE
HMS BOUNTY
HMS VICTORY
GOLDEN HIND
SANTA MARIA
MARY CELESTE
SEAWISE GIANT
OLD IRONSIDES
HMS ENDEAVOUR
FLYING DUTCHMAN

NORWAY

G	E	I	R	A	N	G	E	R	F	J	O	R	D
J	S	Z	F	S	O	G	N	E	F	J	O	R	D
O	L	T	L	O	R	W	S	C	O	P	E	V	C
T	I	L	A	N	T	K	I	S	L	U	J	O	V
U	L	T	M	V	H	T	M	H	U	L	E	R	I
N	L	I	R	G	E	O	H	T	S	P	L	I	K
H	E	V	A	O	R	C	F	J	O	I	D	N	I
E	H	S	I	T	N	F	H	L	A	T	J	G	N
I	A	M	L	Y	L	D	S	U	M	R	E	F	G
M	M	E	W	L	I	O	H	S	R	O	L	O	S
E	M	N	A	G	G	E	N	E	T	C	Q	S	H
N	E	L	Y	P	H	Q	F	J	I	K	H	S	I
T	R	O	L	L	T	U	N	G	A	M	S	E	P
V	O	R	I	N	S	B	R	Y	G	G	E	N	S

TROMSO
NORTHERN LIGHTS
GEIRANGERFJORD
JOTUNHEIMEN
TRONDHEIM
VORINGFOSSEN
FLAM RAILWAY
TROLLTUNGA
SOGNEFJORD
OSLO
VIKING SHIPS
STAVE CHURCHES
LILLEHAMMER
PULPIT ROCK
BRYGGEN

SWEDEN

K	A	L	H	A	R	G	A	S	T	L	D	Q	C
G	M	A	R	S	T	R	A	N	D	B	R	C	E
O	A	R	B	E	K	O	T	H	E	N	O	L	D
T	L	V	T	I	G	A	M	L	A	S	T	A	N
H	M	I	A	R	S	T	N	A	N	S	T	D	Y
E	O	S	A	S	E	K	N	S	A	Z	N	R	L
N	O	B	E	L	A	V	O	C	E	A	I	I	N
B	A	Y	V	I	S	M	R	R	L	N	N	C	L
U	P	P	S	A	L	A	U	P	E	R	G	E	B
R	O	T	T	I	M	G	A	S	S	M	H	H	F
G	A	M	A	L	S	L	A	N	E	A	O	O	D
U	P	S	A	A	L	E	N	B	R	U	L	T	E
A	S	K	S	T	O	C	K	H	O	L	M	E	P
U	A	S	A	M	V	S	F	V	M	A	R	L	N

ICE HOTEL
LAPLAND
SALEN
ABISKO
UPPSALA

STOCKHOLM
GAMLA STAN
DROTTNINGHOLM
VASA MUSEUM
SKANSEN

KALMAR CASTLE
GOTHENBURG
MARSTRAND
MALMO
VISBY

THE CARIBBEAN

J	A	M	A	H	C	A	O	B	E	A	C	H	S
N	E	P	A	L	M	T	R	E	E	S	C	S	H
P	D	R	O	P	R	J	N	C	H	A	I	T	I
S	P	E	K	R	V	A	G	L	E	N	T	E	S
P	A	N	A	C	T	M	A	B	N	T	A	E	P
L	N	C	I	T	H	A	L	A	G	O	D	L	A
S	A	N	T	O	D	I	U	M	I	D	E	D	N
K	M	G	S	T	R	C	C	P	N	O	L	R	I
P	A	N	O	G	L	A	S	K	R	M	L	U	O
S	C	E	E	O	D	R	U	M	E	I	E	M	L
T	A	N	K	I	N	G	S	T	O	N	N	S	A
S	N	A	K	E	L	S	L	E	D	G	E	C	K
H	A	V	A	N	A	C	U	B	A	O	H	P	E
B	L	U	E	H	O	L	E	B	E	L	I	Z	E

HAVANA, CUBA	HAITI	JAMAICA
PANAMA CANAL	CITADELLE	KINGSTON
BLUE HOLE, BELIZE	PORT-AU-PRINCE	STEEL DRUMS
PALM TREES	SANTO DOMINGO	JERK CHICKEN
LAGOONS	HISPANIOLA	NEGRIL BEACH

A	V	T	M	S	T	B	A	R	T	H	S	G	S
S	P	I	T	A	N	P	I	T	N	I	Q	U	E
T	O	B	R	T	R	I	N	I	D	A	D	A	Z
V	I	R	I	G	D	T	I	N	S	L	A	D	S
I	P	I	T	O	I	O	I	R	I	C	O	E	B
N	U	E	V	A	S	N	M	N	T	A	N	L	A
C	E	L	E	N	P	S	I	I	I	L	A	O	R
E	R	E	S	T	A	S	J	S	N	Q	R	U	B
N	T	S	T	I	N	T	E	R	L	I	U	P	A
T	O	B	A	G	O	L	O	K	S	A	C	E	D
T	R	I	N	U	G	U	A	D	F	L	N	A	O
P	I	T	E	A	B	C	I	S	L	A	N	D	S
L	C	B	O	N	A	I	R	E	R	E	E	F	S
D	O	M	I	C	S	A	N	J	U	A	N	P	M

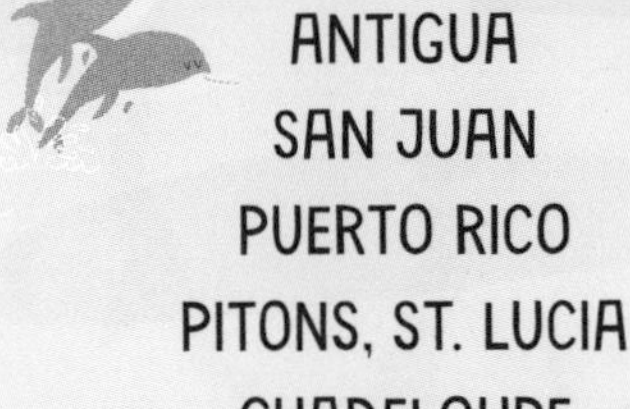

ANTIGUA	TRINIDAD	ABC ISLANDS
SAN JUAN	TOBAGO	BONAIRE REEFS
PUERTO RICO	DOMINICA	BARBADOS
PITONS, ST. LUCIA	ST. BARTHS	
GUADELOUPE	MARTINIQUE	
ST. VINCENT	VIRGIN ISLANDS	

SOUTHERN AFRICA

K	B	V	D	R	A	K	E	N	S	B	E	R	G
W	O	I	E	T	O	S	Q	U	R	T	B	L	R
J	T	C	W	N	C	A	I	P	E	A	O	K	E
O	S	T	A	M	Y	T	R	B	X	B	U	W	A
H	W	O	S	P	I	A	N	O	T	L	L	A	T
A	A	R	I	R	E	U	H	S	A	E	D	Z	Z
N	N	I	U	L	D	T	R	S	N	M	E	U	I
N	A	A	E	S	O	H	O	L	Z	O	R	L	M
E	M	F	M	S	F	T	B	W	A	U	S	U	B
S	C	A	E	I	E	Z	U	L	N	N	B	N	A
B	O	L	D	W	B	R	S	C	I	T	E	A	B
U	D	L	O	A	N	I	A	Z	A	A	A	T	W
R	W	S	O	U	T	H	A	F	R	I	C	A	E
G	B	F	A	T	Z	I	M	R	A	N	H	L	A

SOUTH AFRICA
CAPE TOWN
TABLE MOUNTAIN
BOULDERS BEACH
DRAKENSBERG
LESOTHO
KWAZULU-NATAL
JOHANNESBURG
SOWETO

GREAT ZIMBABWE
VICTORIA FALLS
BOTSWANA
TANZANIA
NAMIBIA
MAURITIUS

GREAT LAKES

B K L W A T H A B A S C A R
L A D C I Q A U F U O R S T
T A L G O N T A R I O N G A
B A D K A S N H D O G A H T
T R N O H E R I E G N M G M
M A L G G A W I P R W T V Y
I V O R A A S U P E R I O R
C I W E L N K H R A G T S O
H C R A G U Y L A T L I T I
I T M T R P A I R S G C O F
G O N B A K I Y K L Z A K R
A R T E I O N E G A W C L U
N I C A R A G U A V E A J S
T A B R S C A M H E T R E O

BAIKAL	TANGANYIKA	ONEGA	ATHABASCA
LADOGA	BALKHASH	TAYMYR	MICHIGAN
WINNIPEG	VICTORIA	TITICACA	ONTARIO
NICARAGUA	VOSTOK	SUPERIOR	MALAWI
GREAT SLAVE	HURON	GREAT BEAR	ERIE

THAILAND TO INDONESIA

M	A	L	A	S	I	N	G	A	P	O	R	E	K
C	R	A	N	G	U	N	G	T	N	A	G	C	U
V	A	T	A	R	U	M	R	Y	F	L	Q	O	O
B	I	N	K	U	A	L	A	L	U	M	P	U	R
S	L	E	R	O	P	B	N	T	Q	A	F	D	A
C	F	N	T	N	G	S	D	C	R	U	N	Z	N
S	M	A	T	N	Y	W	P	J	M	A	A	E	G
B	A	N	O	K	A	X	A	H	L	J	L	K	U
J	L	L	C	N	Q	M	L	I	U	A	F	K	T
W	A	T	A	R	U	N	A	P	K	K	Z	L	A
H	Y	V	I	E	T	H	C	C	P	A	E	H	N
L	S	M	A	R	T	A	E	M	T	R	O	T	S
S	I	N	D	O	N	E	S	I	A	T	U	S	P
B	A	N	G	K	O	K	R	F	L	A	M	S	G

THAILAND
PHUKET
BANGKOK
WAT ARUN
GRAND PALACE
VIETNAM
HALONG BAY
MALAYSIA
KUALA LUMPUR
SINGAPORE
JAVA
JAKARTA
INDONESIA
SUMATRA
ORANGUTANS

N	O	M	P	H	I	L	I	P	P	I	N	E	S
A	U	S	T	B	N	A	R	M	A	N	I	L	A
P	H	N	O	M	P	E	N	H	I	L	L	S	R
E	C	A	M	B	N	E	W	G	U	I	N	E	A
T	R	S	U	L	A	S	W	I	H	V	B	C	W
C	S	A	R	S	O	H	U	E	C	S	O	C	A
H	A	U	S	A	T	B	T	S	I	H	R	T	K
P	H	I	L	I	P	A	L	A	W	A	N	H	S
C	H	O	C	A	L	L	M	A	J	N	E	O	F
K	C	M	D	O	W	I	L	B	S	R	O	W	Y
N	R	I	C	E	T	E	R	R	A	C	E	S	P
B	R	O	N	E	Q	W	S	Z	K	R	F	M	H
S	H	K	O	M	O	D	O	I	S	L	A	N	D
C	A	M	B	O	D	I	A	R	S	L	F	N	E

LAOS
BALI
SULAWESI
CAMBODIA
PHNOM PENH

PHILIPPINES
RICE TERRACES
CHOCOLATE HILLS
PALAWAN
MANILA

BORNEO
SARAWAK
NEW GUINEA
HAUS TAMBARAN
KOMODO ISLAND

FAMOUS MOUNTAINS

PUNCAK JAYA
KILIMANJARO
MT. VESUVIUS
MONT BLANC
MT. ARARAT
MT. EVEREST
MT. LOGAN
MT. FUJI
DENALI
MT. SINAI
MT. ELBRUS
MT. WILHELM
MT. FITZ ROY
ACONCAGUA
MT. RORAIMA
MT. KOSCIUZKO
K2

HIGHEST CAPITALS

L	O	G	T	A	C	L	U	I	W	U	U	Y	P
A	D	D	E	S	A	R	A	B	L	A	I	Q	H
M	S	E	H	U	E	L	Z	S	A	P	K	U	I
T	I	M	R	S	U	S	Y	B	P	V	R	I	Q
B	G	U	A	T	E	M	A	L	A	C	I	T	Y
A	S	M	N	R	A	B	P	N	Z	F	K	O	E
L	T	S	H	K	A	B	U	L	A	C	I	X	B
T	E	H	K	S	N	T	E	B	H	A	N	Y	J
C	L	W	I	N	D	H	O	E	K	T	A	H	R
W	I	D	G	M	E	X	I	C	O	C	I	T	Y
N	D	H	A	E	P	K	N	X	X	E	R	B	L
A	H	I	L	H	L	H	Y	B	O	G	O	T	A
S	Q	U	I	Y	O	Q	U	I	Y	O	B	B	A
A	M	A	R	A	S	W	J	M	Z	Y	I	S	K

QUITO
LA PAZ
BOGOTA
ASMARA
MEXICO CITY
ADDIS ABABA
THIMPHU
MASERU
SANA'A
KABUL
KIGALI
TEHRAN
NAIROBI
WINDHOEK
GUATEMALA CITY

ON SAFARI

G	A	M	E	R	E	S	E	R	V	E	Z	I	S
R	P	A	N	A	M	N	E	K	R	U	G	E	R
E	R	A	G	E	T	I	N	Y	I	H	L	S	N
A	P	S	O	U	T	H	A	F	R	I	C	A	A
T	N	A	R	Z	A	N	T	A	D	P	A	Q	T
M	S	I	O	I	M	A	R	O	I	P	X	T	I
I	O	M	N	A	O	K	C	T	X	O	L	A	O
G	C	A	G	Z	S	O	E	M	J	P	S	N	N
R	G	R	O	N	R	G	C	N	L	O	A	Z	A
A	H	A	R	C	N	P	S	P	Y	T	S	A	L
T	A	N	O	E	C	H	E	E	T	A	H	N	P
I	E	R	R	H	U	L	Y	Z	A	M	B	I	A
O	G	E	S	O	Q	J	U	Q	M	U	D	A	R
N	S	W	I	L	D	E	B	E	E	S	T	E	K

CROCODILE
CHEETAH
ZAMBIA
KENYA
MAASAI MARA

GREAT MIGRATION
WILDEBEEST
SERENGETI
TANZANIA
NGORONGORO

KRUGER
SOUTH AFRICA
HIPPOPOTAMUS
NATIONAL PARK
GAME RESERVE

L	F	O	P	R	A	D	N	U	D	F	B	K	D
O	A	K	A	X	R	F	R	I	J	D	P	G	W
I	B	A	B	O	T	S	W	A	N	A	M	O	Y
N	K	V	A	L	H	A	R	I	H	E	N	A	Z
S	C	A	P	E	B	U	F	F	A	L	O	C	R
G	W	N	H	Z	E	R	I	A	K	E	I	E	H
I	N	G	Y	B	V	R	R	M	L	P	A	O	I
R	H	O	E	J	A	B	Q	G	P	H	Y	A	N
A	F	D	N	H	E	N	I	D	E	A	R	B	O
F	L	E	A	Z	T	A	H	G	Z	N	L	X	C
F	S	L	E	O	P	A	R	D	F	T	Z	A	E
E	A	T	O	M	N	A	M	I	B	I	A	M	R
K	R	A	I	G	E	W	A	M	R	F	V	N	O
S	H	F	E	R	Z	I	M	B	A	B	W	E	S

CAPE BUFFALO
RHINOCEROS
ELEPHANT
LEOPARD
LION
BIG FIVE
NAMIBIA
GIRAFFE
ZIMBABWE
IMPALA
BOTSWANA
OKAVANGO DELTA
KALAHARI
HYENA
ZEBRA

ITALY

A	N	T	E	T	M	A	V	Y	T	T	I	R	U
M	I	S	H	Z	W	U	N	E	S	U	R	B	A
L	E	A	N	S	E	L	P	A	N	E	R	J	G
A	C	O	V	A	K	S	O	B	W	I	F	I	O
F	L	C	S	E	N	C	N	O	D	W	C	C	N
C	R	I	V	A	G	O	T	G	A	W	L	E	D
A	P	F	X	U	V	G	E	P	N	H	K	V	O
O	G	L	B	A	N	O	V	F	G	O	I	U	L
S	I	A	C	I	F	Y	E	B	O	Y	I	J	A
T	U	M	N	S	S	I	C	I	L	Y	E	D	S
P	R	A	I	L	Z	L	C	V	O	P	P	P	S
V	E	G	H	I	O	S	H	F	B	Y	M	S	H
L	H	I	R	N	A	L	I	M	O	M	O	U	D
S	T	E	C	N	E	R	O	L	F	R	P	W	Y

VENICE
GONDOLAS
BRIDGE OF SIGHS
AMALFI COAST
NAPLES
POMPEII
SICILY
MT. ETNA
PISA
LEANING TOWER
DUOMO, MILAN
PONTE VECCHIO
FLORENCE
BOLOGNA
TURIN

GREAT CANALS

L	A	N	A	C	G	N	A	H	G	N	I	J	K
E	V	L	K	H	L	O	N	G	S	L	L	C	W
D	N	O	S	G	O	T	A	C	A	N	A	L	H
R	P	Y	L	U	R	Q	C	N	I	E	N	I	I
O	N	A	O	G	E	P	A	P	Y	Z	A	D	T
G	R	A	N	R	A	Z	N	C	M	L	C	I	E
N	O	G	R	A	N	D	C	A	N	A	L	M	S
E	U	R	O	N	M	D	O	A	R	O	E	U	E
T	F	N	A	D	B	A	C	N	N	C	I	D	A
H	A	P	J	U	A	N	C	L	C	A	K	L	C
C	O	R	I	N	T	H	C	A	N	A	L	A	A
A	M	A	L	I	P	N	P	L	N	Y	N	N	N
R	E	U	R	O	P	A	C	A	N	A	L	A	A
G	R	L	A	N	A	C	E	I	R	E	L	C	L

VOLGA-DON CANAL
WHITE SEA CANAL
EUROPA CANAL
GRAND UNION
KIEL CANAL
ERIE CANAL
GOTA CANAL
CANAL DU MIDI
PANAMA CANAL
JING-HANG CANAL
GRACHTENGORDEL
CORINTH CANAL
GRAND CANAL
SUEZ CANAL
KHLONGS

ROCKS, CAVES AND CANYONS

E	F	I	N	G	A	L	S	C	A	V	E	G	U
B	G	L	O	A	R	E	M	A	N	E	B	R	A
A	R	D	E	I	P	E	D	L	O	B	R	A	R
L	T	T	I	M	M	O	E	T	A	L	P	N	E
A	U	S	G	R	D	U	L	U	R	U	P	D	W
N	P	I	E	R	B	O	I	D	E	P	I	T	O
C	A	Z	A	R	D	L	C	R	O	C	K	S	T
I	T	U	K	C	O	R	A	Y	R	I	G	I	S
N	O	M	E	R	A	F	T	T	E	B	E	N	L
G	K	A	T	O	P	U	E	O	R	U	P	G	I
R	B	R	Y	C	E	C	A	N	Y	O	N	Y	V
O	P	O	N	T	D	A	R	C	O	L	M	E	E
C	S	C	R	A	D	T	C	O	P	T	A	M	D
K	L	K	R	M	S	E	H	I	N	K	S	M	I

BALANCING ROCK
ARBOL DE PIEDRA
BRYCE CANYON
DEVIL'S TOWER
PONT D'ARC
ULURU
KO TAPU
ZUMA ROCK
FINGAL'S CAVE
GRAND TSINGY
IMMORTAL BRIDGE
DELICATE ARCH
STONE FOREST
SIGIRYA ROCK
BEN AMERA

IRELAND

Y	A	W	E	S	U	A	C	S	T	N	A	I	G
T	A	R	O	C	K	O	F	C	A	S	H	E	L
S	K	E	L	L	I	G	M	I	C	H	A	E	L
A	T	H	N	D	B	C	G	X	K	K	N	L	O
F	L	O	U	G	H	N	L	Q	J	O	T	D	U
L	E	M	D	I	N	G	L	E	T	R	R	C	G
E	I	F	F	S	O	F	M	S	W	O	E	R	H
B	R	O	O	K	O	F	Y	K	F	B	E	L	N
L	S	S	P	E	A	E	C	R	W	D	A	L	E
S	K	F	A	L	N	M	E	S	H	U	X	Y	A
H	I	F	G	R	E	T	G	L	E	B	D	A	G
G	N	I	A	R	A	T	F	O	L	L	I	H	H
S	L	L	A	W	E	C	A	E	P	I	N	E	Y
L	B	C	H	G	U	O	L	A	D	N	E	L	G

CLIFFS OF MOHER
SKELLIG MICHAEL
BLARNEY STONE
GAP OF DUNLOE
WATERFORD

DUBLIN
DINGLE
HILL OF TARA
GLENDALOUGH
ROCK OF CASHEL

GIANT'S CAUSEWAY
LOUGH NEAGH
PEACE WALLS
CLEW BAY
BELFAST

44 "WELCOME" IN MANY LANGUAGES

सुस्वागतम
Swagatam

W E L C Q C A S W K C U G E D
I R B A R N G P Y O O R Q S O
L N I O S M N O D N I V M E B
L V E L E H A E R E M A I R R
K S N U L D A W T Q F E U Q O
O T V T A R V L E H T C O P P
M A E E M J A G C L H Q N D O
M L N V A L G O G I C Y N M Z
E N I R T D N C M J K O C Q H
N A D E D F A H V C X O M F A
B E O T A G A V S E G K K E L
L H S A T B V I A D V O R C O
B E N V A X W E L C O S E U V
D R A I N D O S J T N O D J A
B E M V G B I E N V E N U E T

WELCOME	SELAMAT DATANG	CROESO
FAILTE	VAANGA VAANGA	YOOKOSO
BEM VINDO	WILLKOMMEN	BIENVENUE
TERVETULOA	HAERE MAI	BIENVENIDOS
BRUCHIM HABAIM	SVAGAT	DOBRO POZHALOVAT

C L G N I Y N A U H S H A M D
M L D O D K K L R O N W Q J I
H A K H O S G E L D I N I Z H
K G H W Y P I K A T C L G Z Q
A H U L M I T U N E V N E B L
L A S H A N Y M L L U W C W G
O M H R T N N E M M O K L E V
S N A U I E W N O F L B Q L X
I N M B W S W A G A T A M K B
R T D H U I H Y S U L X R O T
T L I N E C L I Y A S O A M Z
H O D I E S I G D C H X H E I
A L M A T D A N A N G L T A N
T E S A N N U D A Z U W A G J
E R E M A I N K A R I B U N I

NGIYANEMUKELA
KHUSH AMDID
CHAO MUNG
HUANYING
WITAMY
ALOHA
KARIBUNI
BENVENUTI
HOS GELDINIZ
SANNU DA ZUWA
AHLAN WA SAHLAN
KALOS IRTHATE
VELKOMMEN
SWAGATAM
WELKOM

GREECE

N	A	F	P	L	I	O	J	P	Z	G	W	A	S	W
T	E	M	P	A	U	E	Q	S	N	E	H	T	A	S
O	L	Y	M	F	R	S	C	Z	I	M	J	F	V	A
M	Y	K	R	N	O	T	U	E	W	T	T	C	I	N
K	N	O	S	Q	S	L	H	P	A	E	I	P	X	T
D	C	N	A	R	O	E	T	E	M	G	M	A	H	O
H	R	O	D	F	S	J	V	P	N	Y	O	C	B	R
S	O	S	S	O	N	K	L	Z	L	O	L	R	H	I
N	C	R	E	T	E	E	F	O	Z	Z	N	O	A	N
S	A	N	T	V	O	R	E	L	I	D	D	P	T	I
O	L	N	A	F	I	P	T	M	T	E	E	O	R	M
M	Y	C	Z	A	N	L	A	G	S	L	O	L	N	V
T	H	E	S	S	A	L	O	N	I	K	I	I	O	E
S	U	S	S	A	N	R	A	P	T	M	I	S	H	S
S	B	L	N	C	N	E	T	M	R	A	P	D	O	I

MT. OLYMPUS	FETA	TEMPLE OF ZEUS	DELOS
ACROPOLIS	RHODES	PARTHENON	CRETE
KNOSSOS	OLYMPIA	METEORA	NAFPLIO
ATHENS	SANTORINI	AGORA	MYKONOS
CORFU	MT. PARNASSUS	OLIVES	THESSALONIKI

THE BALKANS

A	B	O	S	N	I	A	B	A	I	N	A	M	O	R
L	U	C	H	A	I	N	S	U	B	O	T	I	C	A
B	C	C	O	R	V	I	N	C	A	S	T	L	E	T
I	H	P	L	I	T	V	I	C	E	L	A	K	E	S
C	A	S	A	L	E	O	A	H	R	I	T	Z	D	O
A	R	E	I	A	R	G	L	R	A	S	N	L	A	M
D	E	K	N	M	Y	E	A	I	N	O	A	A	R	E
U	S	O	A	O	E	Z	B	I	U	A	T	K	G	G
B	T	S	B	N	S	R	A	F	T	I	S	E	L	D
R	L	O	L	A	E	E	T	I	A	A	N	O	E	I
O	L	V	A	S	R	H	K	I	F	D	O	H	B	R
V	M	O	N	T	E	N	E	G	R	O	C	R	L	B
N	M	A	C	E	D	O	N	I	A	A	S	I	C	D
I	N	A	I	R	A	G	L	U	B	O	N	D	C	L
K	I	N	S	Y	T	O	V	E	J	A	R	A	S	O

BULGARIA
SOFIA
VARNA
RILA MONASTERY
ROMANIA
BUCHAREST
CORVIN CASTLE
CONSTANTA

N. MACEDONIA
LAKE OHRID
MONTENEGRO
ALBANIA
TIRANA
CROATIA
DUBROVNIK
PLITVICE LAKES

BOSNIA
HERZEGOVINA
SARAJEVO
OLD BRIDGE, MOSTAR
KOSOVO
SERBIA
SUBOTICA
BELGRADE

WORLD FESTIVALS

L	E	T	K	S	N	A	E	L	R	O	W	E	N	G
A	C	K	U	B	D	A	Y	C	F	N	H	S	I	R
N	I	M	M	J	A	P	A	N	W	V	L	K	A	U
T	N	O	B	L	Y	N	F	L	H	X	L	E	P	B
E	E	S	H	M	O	A	T	N	I	A	Y	R	S	S
R	V	S	M	E	F	A	I	E	T	W	E	N	A	R
N	E	O	E	P	T	S	B	D	E	R	G	E	N	E
F	L	L	L	A	H	M	A	N	N	D	S	D	I	T
E	A	B	A	P	E	T	E	R	I	I	E	R	T	E
S	V	Y	I	B	D	S	M	F	G	T	I	V	A	P
T	E	R	N	S	E	K	E	S	H	I	F	L	M	T
I	N	R	D	N	A	R	X	I	T	W	D	S	O	S
V	R	E	I	R	D	M	I	R	S	G	A	R	T	H
A	A	H	A	R	I	O	C	A	R	N	I	V	A	L
L	C	C	H	E	R	Y	O	S	S	O	M	S	L	M

WHITE NIGHTS
ST. PETERSBURG

DAY OF THE DEAD
MEXICO

LA TOMATINA, SPAIN

KUMBH MELA, INDIA

RIO CARNIVAL

MARDI GRAS
NEW ORLEANS

HOLI, INDIA

CHINESE NEW YEAR

CARNEVALE, VENICE

LANTERN FESTIVAL

CHERRY BLOSSOM
JAPAN

ROME

CIRCUS MAXIMUS
SISTINE CHAPEL
VATICAN CITY
APPIAN WAY
COLOSSEUM

GELATO
RIVER TIBER
CATACOMBS
SPANISH STEPS
ROMAN FORUM

EXPLORA MUSEUM
PIAZZA NAVONA
TREVI FOUNTAIN
PALATINE HILL
PANTHEON

GERMANY

E T A G G R U B N E D N A R B
C B R E M E N C I T Y H A L L
A E L M R A N D N C E M U D A
L K A E C H O N I N S E F H C
A C K R B E I O L I V J A C K
P H E N O V E N R M H N K R F
I K C O R Y E L E R O L A G O
C L O I L E R Y B V I P M L R
U F N S N R H M E O A H K V E
O O S D E U A R G P N L N D S
S V T V D J M H O T A N L P T
S L A C S E B R G I G T B E C
N W N C E N U R E M B E R G Y
A R C W R E R Q I W C O S B N
S L E B D R G J F V K N C E S

BREMEN CITY HALL
HAMBURG
HANOVER
BERLIN
BRANDENBURG GATE
BLACK FOREST
EUROPA-PARK
SANS SOUCI PALACE
NUREMBERG
DRESDEN
LORELEY ROCK
RHINE VALLEY
BONN
MUNICH
LAKE CONSTANCE

FAMOUS CASTLES

T	R	O	F	H	R	A	G	R	O	T	T	I	H	C
N	L	I	R	U	M	E	L	I	H	I	S	A	R	I
E	E	C	H	I	L	L	O	N	C	A	S	T	L	E
U	D	A	M	E	L	T	S	A	C	Z	T	L	E	D
S	A	G	R	O	B	S	K	I	R	E	D	E	R	F
C	T	E	L	T	S	A	C	S	I	P	S	O	B	I
H	I	S	A	R	I	C	A	L	Z	A	B	R	U	C
W	C	H	A	M	B	N	E	R	D	M	A	W	T	Y
A	O	P	P	C	H	A	T	E	A	U	D	I	F	P
N	P	T	R	E	N	R	V	H	P	D	K	E	Q	X
S	P	I	S	D	A	B	C	A	T	S	E	L	A	R
T	E	B	O	D	I	A	M	C	A	S	T	L	E	S
E	L	N	E	I	T	S	A	W	H	C	S	T	L	A
I	A	I	V	O	G	E	S	R	A	Z	A	C	L	A
N	I	E	T	S	G	I	N	O	K	S	B	O	R	G

NEUSCHWANSTEIN	KONIGSTEIN	ALCAZAR, SEGOVIA
FREDERIKSBORG	BRAN CASTLE	CHILLON CASTLE
EILEAN DONAN	BODIAM CASTLE	RUMELI HISARI
ELTZ CASTLE	ALEPPO CITADEL	CHATEAU D'IF
CHAMBORD	CHITTORGARH FORT	SPIS CASTLE

INDIA

C	L	J	E	S	H	I	N	C	B	A	D	N	J	E
T	R	O	F	D	E	R	I	K	R	U	I	M	E	L
H	Y	D	E	R	B	S	V	G	E	J	A	C	L	P
A	S	H	E	C	A	L	A	P	E	R	O	S	Y	M
F	D	P	D	N	F	P	I	S	I	L	A	U	N	E
X	S	U	A	E	R	H	A	G	R	Z	I	L	S	T
R	S	R	A	L	L	I	P	A	K	O	H	S	A	I
D	A	R	J	E	E	L	I	N	G	J	Y	K	C	H
V	K	N	D	L	Y	Y	B	D	Q	O	D	A	R	S
K	K	W	I	F	S	T	N	A	H	P	E	L	E	K
R	E	D	F	M	D	A	H	D	I	B	R	I	D	A
N	Y	S	O	R	B	C	H	L	V	Z	A	Y	C	N
G	N	E	F	Q	K	T	M	J	R	M	B	X	O	E
E	L	P	M	E	T	S	U	T	O	L	A	M	W	E
G	B	I	A	M	W	W	V	Q	R	E	D	M	S	M

KERALA
JODHPUR
VARANASI
QUTB MINAR
SACRED COWS
MYSORE PALACE
MEENAKSHI TEMPLE
ASHOKA PILLARS
LOTUS TEMPLE
DARJEELING
NEW DELHI
AGRA
RED FORT
ELEPHANTS
HYDERABAD

A	S	A	L	M	E	K	G	Q	O	G	Y	Z	P	V
U	E	R	I	V	E	R	G	A	N	G	E	S	U	A
G	V	P	A	S	D	D	T	B	Q	U	T	I	I	L
T	A	J	M	S	L	A	H	A	M	A	W	A	H	L
G	C	A	U	O	T	W	Q	D	J	N	B	N	O	E
V	A	L	L	F	K	I	X	R	K	M	Z	N	X	Y
S	R	E	G	I	T	X	R	E	U	E	A	E	Q	O
G	O	L	D	E	N	T	E	M	P	L	E	H	J	F
E	L	P	M	K	T	W	X	L	A	C	Z	C	A	F
H	L	U	A	Y	O	N	F	A	H	O	E	W	I	L
H	E	E	R	X	F	L	H	S	E	S	U	O	P	O
C	L	Q	Y	K	M	F	K	I	T	I	R	V	U	W
T	R	O	F	R	E	B	M	A	K	W	O	J	R	E
W	P	F	G	D	R	X	L	J	T	A	F	F	Z	R
X	C	A	J	Z	G	O	A	B	E	A	C	H	E	S

MUMBAI
KOLKATA
TAJ MAHAL
RIVER GANGES
GOA BEACHES
JAISALMER
CHENNAI
TIGERS
JAIPUR
AMRITSAR
AMBER FORT
HAWA MAHAL
ELLORA CAVES
GOLDEN TEMPLE
VALLEY OF FLOWERS

SCOTLAND

S D N A L H G I H I P W I L E

L R N E E R G A N T E R G E D

L O C H L O M O N D L K L A I

I S C E O F C K T F T T A R N

C S K H R A B N A E S Y S B B

S H E B N I D S E A A Z G A U

S K Y I L E A S C L C G O R R

H E K E P L S L E S G I W A G

G L S G O L A S O W N B D K H

U P F O T R E H B R I D G S C

H L O M O N D K L P L E I S A

T H E M R L S H E B R I D E S

S T L I N G R C A H I S T L T

G A S E G D I R B H T R O F L

B R I D E S H P U X S K I B E

BALMORAL CASTLE
GRETNA GREEN
ISLE OF SKYE
HIGHLANDS
HEBRIDES
IONA
GLENCOE
LOCH NESS
SKARA BRAE
FORTH BRIDGE
EDINBURGH CASTLE
STIRLING CASTLE
LOCH LOMOND
THE KELPIES
GLASGOW

FAMOUS PLANES

A	R	B	U	S	8	3	P	Q	J	A	S	O	N	L
M	E	B	I	G	C	P	F	J	Y	W	I	T	L	L
S	G	O	3	O	E	K	O	B	Z	C	U	E	A	E
L	A	E	R	J	F	T	K	Z	K	K	O	J	E	M
F	Y	I	N	8	Y	T	K	L	H	V	L	P	L	A
C	O	N	C	O	R	D	E	Y	Z	8	T	M	L	C
R	V	G	A	N	E	A	R	R	8	G	S	U	E	H
E	N	7	Y	W	R	C	T	J	I	Y	F	J	B	T
D	A	4	4	J	A	X	R	E	Q	F	O	R	S	I
L	T	7	E	I	G	4	I	O	3	W	T	E	I	W
R	U	T	A	N	V	O	P	K	F	B	I	I	H	P
W	R	I	G	H	T	F	L	Y	E	R	R	R	P	O
H	A	I	R	B	U	S	A	3	8	O	I	R	M	S
M	F	N	P	H	1	S	N	T	7	Q	P	A	E	G
E	N	O	P	I	H	S	E	C	A	P	S	H	M	T

SPIRIT OF ST. LOUIS
RUTAN VOYAGER
MEMPHIS BELLE
WRIGHT FLYER
BOEING 747
LEARJET
JASON
CONCORDE
AIRBUS A380
SPACESHIP ONE
HARRIER JUMPJET
FOKKER TRIPLANE
SOPWITH CAMEL
AIR FORCE ONE
SPITFIRE

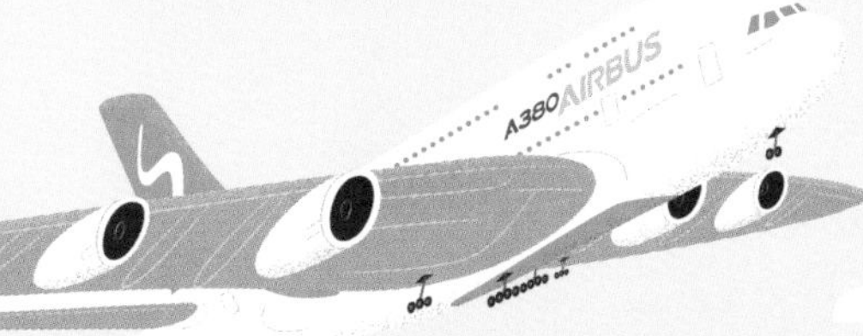

CANADA

H E F M A B Z G T Y O F P H T
A S T A N L E Y P A R K K N E
I I N I P E C Y R A G L A C B
D U B O Y O H A R J N I S O N
T O R O N T O Z O O G K T E Y
I L A K L O U I Y G C E B K K
I E E P I N G N N V N K Q A W
A K A W A C A I Y A N O I L E
W A R A R C P W I N N I P E G
G L A I A E T R Z C P U M N S
A G A W E C R E W O T N C I B
D N A L S I R E V U O C N A V
I G S Z V I X A W V D N N R N
A I R O T C I V L E Q F N O I
H N A O F X W T B R F N L M W

VICTORIA
HAIDA GWAII
VANCOUVER
STANLEY PARK
VANCOUVER ISLAND

WINNIPEG
SLEEPING GIANT
AGAWA CANYON
TORONTO ZOO
CN TOWER

ROCKIES
BANFF
CALGARY
LAKE LOUISE
MORAINE LAKE

P A R L A K E O N T A R I O N
Q U E F I N K W O L L E Y U E
A M O N T P A E L O E O R M W
R B A Y O F F D Y U K O N P B
C H U R C H I L L M B I C A R
D N A L S I N I F F A B Y L U
I M W I A J G C S G Q O V H N
N O A V V S C O A U F I A U S
M N T R O A L R E F N R K D W
Q T T A N W A R U P J K A S I
C R O W S F E N H Q E B E O C
T E D N A L D N U O F W E N K
P A R L I Y M N T T H I L B A
U L L I H T N E M A I L R A P
D S O N Q U E B E C C I T Y T

NIAGARA FALLS
LAKE ONTARIO
PARLIAMENT HILL
OTTAWA

MONTREAL
QUEBEC CITY
NEW BRUNSWICK
NOVA SCOTIA
BAY OF FUNDY

YUKON
YELLOWKNIFE
CHURCHILL
HUDSON BAY
BAFFIN ISLAND
NEWFOUNDLAND

FAMOUS SKI RESORTS

ASPEN
WHISTLER
ST. ANTON
CHAMONIX
COURCHEVEL
CORTINA D'AMPEZZO
KITZBUHEL
SUNDANCE
GULMARG
NISEKO
ZERMATT
TELLURIDE
ST. MORITZ
VAL D'ISERE
CERRO CATEDRAL

WINTER SPORTS


```
A L P T N E F X S Q F O B L H
Y G N I B M I L C E C I G K G
S A S B O A G I C N G B S F N
O L L C O L U U G E A L K K I
C P E S S O R C O N S X I E D
T I D G A L E S D Z P P J N R
Y N D C I G S Y Z B G V U E A
T E O N H I K W G G L U M S O
S S G N I T A K S D E E P S B
F K R G U E T K M L R A I A W
S I A N S H I U J N U J N G O
S I C D O G N R A C Q G G I N
K N I T I N G N O T E L E K S
W G N O L H T A I B B Q O U M
L U G F R I C E H O C K E Y J
```

LUGE
CURLING
SKELETON
ICE HOCKEY
SKI JUMPING
ALPINE SKIING
SNOWBOARDING
FIGURE SKATING
SLED DOG RACING
SPEED SKATING
ICE CLIMBING
YUKIGASSEN
SNOCROSS
BIATHLON
BANDY

TURKEY

S	E	U	T	A	T	S	T	U	R	M	E	N	T	M
U	Q	R	O	C	K	C	H	U	R	C	H	E	S	T
S	E	S	H	H	L	U	K	B	M	F	T	T	Y	U
E	U	B	A	E	A	S	M	Z	E	S	O	H	E	R
H	Q	U	E	S	M	G	F	G	B	P	H	L	N	Q
P	S	M	U	K	K	A	I	R	K	L	E	X	M	U
E	O	P	K	A	I	S	T	A	N	B	U	L	I	O
F	M	I	R	Y	C	H	P	N	S	E	Y	M	H	I
O	E	C	A	P	P	I	A	D	C	O	I	A	C	S
S	U	R	O	H	P	S	O	B	S	O	P	N	Y	E
N	L	T	N	A	V	E	K	A	L	U	J	H	R	C
I	B	H	L	U	E	M	O	Z	Q	U	F	L	I	O
U	K	A	L	C	A	P	P	A	D	O	C	I	A	A
R	C	P	A	M	U	K	K	A	L	E	A	O	F	S
E	P	H	E	W	T	N	E	R	M	V	T	S	A	T

ISTANBUL
BOSPHORUS
BLUE MOSQUE
HAGIA SOPHIA
GRAND BAZAAR
TOPKAPI PALACE
TURQUOISE COAST
MT. NEMRUT STATUES
RUINS OF EPHESUS
ROCK CHURCHES
FAIRY CHIMNEYS
CAPPADOCIA
PAMUKKALE
LAKE VAN

ARMENIA TO AZERBAIJAN

A	R	N	C	M	I	A	U	M	Q	W	P	P	N	C
V	Y	T	I	C	D	L	O	U	K	A	B	I	A	I
M	T	E	T	Z	M	I	A	Z	D	T	N	Y	J	L
S	K	M	Y	L	D	T	A	V	U	R	W	V	I	N
G	E	P	O	D	R	A	S	U	S	A	V	U	A	C
T	B	L	F	S	T	B	I	L	I	S	I	V	B	A
I	F	E	T	C	H	M	G	M	K	T	E	D	R	R
G	E	O	H	T	I	A	E	R	H	S	X	Q	E	M
Y	R	F	E	V	A	N	B	Y	E	C	V	T	Z	E
H	Z	G	D	N	Y	R	Z	K	E	N	T	D	A	N
S	L	A	E	Z	T	B	A	I	G	R	O	E	G	I
C	A	R	A	B	A	L	K	R	K	E	E	C	I	A
F	E	N	D	J	G	E	G	H	A	R	D	V	H	F
T	B	I	S	L	T	G	P	P	Z	T	A	U	A	V
L	A	K	E	S	U	R	B	L	E	T	M	B	Y	N

CAUCASUS
MT. ARARAT
ARMENIA
YEREVAN
TEMPLE OF GARNI
ETCHMIADZIN
LAKE SEVAN
CITY OF THE DEAD
MT. ELBRUS
GEORGIA
TBILISI
KAZBEGI
AZERBAIJAN
BAKU OLD CITY

THE NETHERLANDS

E	S	U	O	H	K	N	A	R	F	E	N	N	A	G
R	O	T	T	E	R	D	A	M	S	T	E	R	M	E
A	M	S	C	D	E	L	T	A	W	O	R	K	S	K
S	T	U	Y	I	E	V	N	E	D	I	E	L	T	J
M	H	N	E	F	R	A	N	K	J	N	D	S	E	I
U	C	S	G	S	N	T	R	K	Y	K	A	M	R	D
S	I	L	V	K	U	E	S	W	V	M	K	I	D	R
B	R	F	R	A	S	M	U	I	O	H	S	N	A	E
R	T	T	E	R	U	A	H	R	D	H	E	R	M	D
I	S	M	U	S	V	M	U	G	V	L	E	H	N	N
D	A	K	E	U	K	E	N	H	O	F	A	A	D	I
G	A	U	L	X	R	W	R	M	V	G	L	N	D	K
E	M	A	R	K	E	T	H	A	L	L	N	W	A	R
U	K	X	L	E	I	D	P	U	O	R	T	A	X	C
R	I	J	S	E	S	U	O	H	E	B	U	C	V	M

AMSTERDAM
CANAL DISTRICT
VAN GOGH MUSEUM
ANNE FRANK HOUSE
RIJKSMUSEUM
ROTTERDAM
EUROMAST
MARKET HALL
CUBE HOUSES
ERASMUS BRIDGE

KEUKENHOF
KINDERDIJK
LEIDEN

HOLLAND
MAASTRICHT
DELTA WORKS

BELGIUM

B	R	U	G	S	E	C	A	L	P	D	N	A	R	G
M	O	U	L	E	S	F	R	I	T	E	S	T	R	H
A	Y	O	M	I	U	N	G	U	B	A	O	A	U	E
N	A	M	U	A	R	S	A	P	D	Q	V	G	Q	N
N	A	N	T	N	N	V	L	A	N	E	E	D	A	T
E	T	S	E	R	O	F	S	E	N	N	E	D	R	A
K	L	A	T	U	X	E	O	S	S	T	N	R	G	L
E	S	T	G	O	Z	G	T	L	Z	S	W	H	S	T
N	H	O	S	T	M	E	U	P	E	N	U	E	I	A
P	R	M	E	W	E	I	D	R	I	D	G	R	R	R
I	E	I	G	N	E	L	I	V	K	U	A	S	B	P
S	M	U	L	E	S	F	N	U	R	I	K	T	S	I
T	O	M	I	V	N	E	A	B	R	U	S	H	I	E
E	P	O	R	U	E	I	N	I	M	C	I	M	O	C
B	R	V	S	F	L	S	T	Q	U	P	N	A	I	E

BRUGES
MOULES-FRITES
GHENT ALTARPIECE
GRAVENSTEEN
TOURNAI

LIEGE
DINANT
ANTWERP
ARDENNES FOREST
CITADEL OF NAMUR

BRUSSELS
GRAND PLACE
MANNEKEN PIS
MINI-EUROPE
ATOMIUM

GREAT GLOBETROTTERS

S	C	O	K	A	N	N	E	L	L	I	E	B	L	Y
N	S	O	L	I	B	N	B	A	T	T	U	T	A	O
E	I	R	L	A	R	U	A	B	I	N	G	W	U	T
D	U	V	E	I	D	A	P	F	I	E	G	F	R	A
S	Q	U	B	F	N	M	S	G	V	N	N	M	A	R
T	R	U	E	X	F	T	Q	A	I	M	L	C	B	A
A	A	V	D	T	U	I	H	M	L	I	B	F	I	B
F	M	Q	U	I	S	A	E	U	P	A	Q	N	N	R
F	H	U	R	O	N	H	N	F	B	O	K	A	G	A
O	A	S	T	A	T	H	O	Z	P	R	E	N	H	B
R	R	B	R	S	A	B	A	R	A	A	O	D	A	F
D	A	V	E	K	U	N	S	T	Q	N	D	N	M	D
M	S	N	G	W	A	Y	O	Y	A	R	G	I	K	C
G	R	A	N	U	L	P	H	F	I	E	N	N	E	S
E	P	O	H	N	A	T	S	R	E	T	S	E	H	L

ERNEST HEMINGWAY
LAURA BINGHAM
GERTRUDE BELL
IBN BATTUTA
KIRA SALAK
NELLIE BLY
DAVE KUNST
ED STAFFORD

XUANZANG
IDA PFEIFFER
BARBARA TOY
SARAH MARQUIS
HESTER STANHOPE
RANULPH FIENNES
COLIN THUBRON

D	R	I	B	A	L	L	E	B	A	S	I	D	J	T
A	L	O	H	A	W	A	N	D	E	R	W	E	L	L
N	R	B	O	Y	N	D	A	Y	I	N	S	R	O	N
I	K	E	R	L	N	C	A	B	K	E	O	V	B	I
W	A	R	M	L	O	P	F	W	M	B	R	L	T	L
T	R	B	A	M	U	P	B	E	Y	S	O	A	F	A
A	E	I	S	T	O	B	O	N	L	L	A	M	O	P
H	N	L	L	U	S	R	D	C	N	B	N	U	R	L
C	D	L	V	R	L	A	F	I	R	Z	X	R	C	E
E	A	B	A	N	V	O	Y	R	F	A	L	P	N	A
C	R	R	C	I	P	X	P	E	U	K	M	H	A	H
U	K	Y	D	A	V	I	D	S	R	H	K	Y	B	C
R	E	S	G	H	R	I	O	E	C	F	T	L	N	I
B	O	O	K	S	T	T	O	P	F	L	O	R	N	M
N	E	N	A	X	U	O	R	E	H	T	L	U	A	P

ALOHA WANDERWELL
DERVLA MURPHY
PAUL THEROUX
KAREN DARKE
BILL BRYSON
ERIC NEWBY
MARCO POLO
ISABELLA BIRD
ANN BANCROFT
ROBYN DAVIDSON
ARTHUR FROMMER
BRUCE CHATWIN
MICHAEL PALIN
FREYA STARK
ROLF POTTS

SOUTH AMERICA

B	A	Z	I	L	O	S	R	O	R	E	S	Q	U	P
R	G	O	R	I	E	N	A	J	E	D	O	I	R	Q
O	S	U	T	O	P	A	X	I	V	H	E	K	E	V
T	L	C	Y	T	A	N	Z	L	I	O	N	S	V	A
N	L	I	Z	A	R	B	E	T	R	D	F	E	M	D
E	A	G	E	V	N	S	M	H	N	B	N	U	C	H
D	F	Z	A	A	U	A	Q	A	O	E	A	Q	C	Q
E	R	C	Q	L	S	O	N	Q	Z	E	K	O	O	S
R	U	A	L	O	A	E	C	U	A	D	O	R	L	I
O	E	U	R	M	G	P	E	I	M	P	N	S	O	Z
T	T	O	K	A	R	L	A	R	A	Q	W	O	M	Y
S	E	A	T	R	A	G	E	G	N	A	S	L	B	W
I	I	R	C	K	E	C	O	T	O	P	A	X	I	U
R	A	N	G	E	L	F	A	L	L	S	Y	J	A	I
C	K	T	P	T	I	E	H	U	K	M	C	E	N	E

BRAZIL
AMAZON RIVER
RIO DE JANEIRO
CRISTO REDENTOR
KAIETEUR FALLS
GUYANA
COLOMBIA
CARTAGENA
VENEZUELA
ANGEL FALLS
LOS ROQUES
ECUADOR
COTOPAXI
OTAVALO MARKET
GALAPAGOS

Y	I	T	I	C	I	N	C	A	X	T	V	J	L	C
I	W	A	R	Q	E	N	T	I	A	N	C	P	L	A
B	O	L	I	E	V	A	X	F	S	E	A	K	B	A
U	R	E	P	A	S	M	A	S	Y	T	F	S	O	C
E	A	N	I	T	N	E	G	R	A	S	F	L	U	A
N	A	C	Z	A	L	I	D	G	P	E	X	L	U	C
O	A	T	A	G	O	C	O	A	D	D	F	A	E	I
S	I	Z	Y	E	H	N	M	L	M	N	L	F	O	T
A	U	H	C	C	I	P	U	H	C	A	M	U	G	I
I	C	X	E	A	A	R	N	B	I	I	C	Z	N	T
R	G	E	N	S	L	T	Y	V	J	Z	H	A	A	E
E	N	O	S	K	V	I	I	V	B	K	I	U	T	K
S	E	R	I	A	S	L	N	A	M	I	L	G	V	A
L	E	M	Y	P	O	H	J	E	W	C	E	I	H	L
F	E	L	E	B	M	B	Z	T	S	O	J	X	C	E

PERU
LIMA
ANDES
NAZCA LINES
MACHU PICCHU
BOLIVIA
LAKE TITICACA
CHILE
ATACAMA DESERT
IGUAZU FALLS
ARGENTINA
BUENOS AIRES
PAMPAS
TANGO
PATAGONIA

JAPAN

S E N I R H S I M I H S U F J
H N O I L I V A P N E D L O G
I R O S H I N A S D M O A H T
M T S N E D L O G P A S V I I
E F S H I M I S N T K A I B U
J I N E A W A N I K O K T U C
I H O T R I G N R S I A S L R
C H I B U O G F P F P C E L I
A S A R A T F I S E K A F E C
S A P P O R O O T Y E S W T A
T K O R Y S V Y O T D T O T K
L K I M E J H T H B H L N R U
E I N G T R O I I B M E S A Z
A E K O A R A K M F J A C I U
G O K I N A R A P A R K B N S

GOLDEN PAVILION
FUSHIMI SHRINE
SNOW FESTIVAL
HOT SPRINGS
NARA PARK
SAPPORO
OKINAWA
KARAOKE
HIROSHIMA
BULLET TRAIN
FLOATING TORII
SUZUKA CIRCUIT
BAMBOO FOREST
OSAKA CASTLE
HIMEJI CASTLE
KYOTO

G R S N O W M O N K E Y S I S
S H T B U Y A C R O L S C M H
R E I T O P A Q O D T A H P I
G L H B I A M U I E S M U E B
A P Y U L I B J H U A N R R U
I M A T S I U I E M C T E I Y
K E N R C F M N A L O G I A A
M T S U T M O U T D T J T L C
H I R N A P K A S L O V O P R
T J U F A N O B A E M E P A O
S O L R A T A F U G U P A L S
M S K Y T R E E G W S M G A S
U N E Y P A R K L A T E O C I
K E N R O K U E N G A R D E N
A S H I R U Y A Q B M S A N G

SENSOJI TEMPLE
IMPERIAL PALACE
SHIBUYA CROSSING
MATSUMOTO CASTLE
KENROKU-EN GARDEN
SNOW MONKEYS

GHIBLI MUSEUM
MOUNT FUJI
SKYTREE

TOKYO
ODAIBA
UENO PARK
CHUREITO PAGODA

TEMPLES AND HOLY PLACES

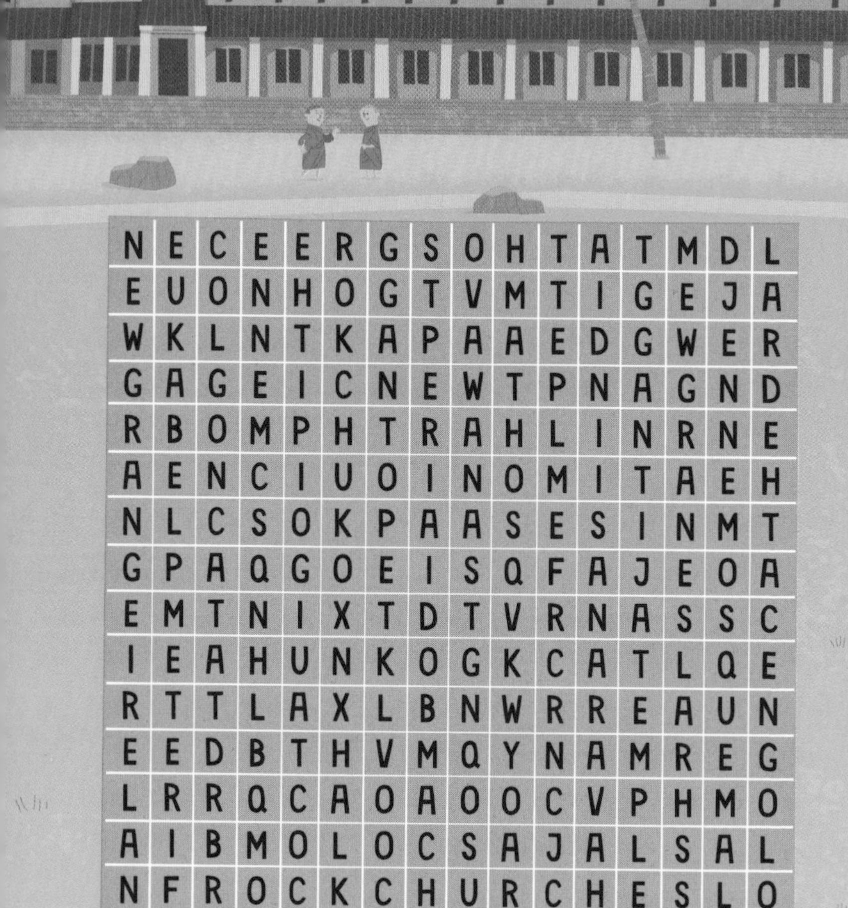

N	E	C	E	E	R	G	S	O	H	T	A	T	M	D	L
E	U	O	N	H	O	G	T	V	M	T	I	G	E	J	A
W	K	L	N	T	K	A	P	A	A	E	D	G	W	E	R
G	A	G	E	I	C	N	E	W	T	P	N	A	G	N	D
R	B	O	M	P	H	T	R	A	H	L	I	N	R	N	E
A	E	N	C	I	U	O	I	N	O	M	I	T	A	E	H
N	L	C	S	O	K	P	A	A	S	E	S	I	N	M	T
G	P	A	Q	G	O	E	I	S	Q	F	A	J	E	O	A
E	M	T	N	I	X	T	D	T	V	R	N	A	S	S	C
I	E	A	H	U	N	K	O	G	K	C	A	T	L	Q	E
R	T	T	L	A	X	L	B	N	W	R	R	E	A	U	N
E	E	D	B	T	H	V	M	Q	Y	N	A	M	R	E	G
L	R	R	Q	C	A	O	A	O	O	C	V	P	H	M	O
A	I	B	M	O	L	O	C	S	A	J	A	L	S	A	L
N	F	R	O	C	K	C	H	U	R	C	H	E	S	L	O
D	E	M	O	R	S	R	E	T	E	P	T	S	L	I	C

VARANASI, INDIA

FIRE TEMPLE, BAKU

MT. ATHOS, GREECE

GGANTIJA TEMPLES MALTA

ANGKOR WAT CAMBODIA

ST. PETER'S, ROME

ROCK CHURCHES ETHIOPIA

NEWGRANGE, IRELAND

DJENNE MOSQUE, MALI

LAS LAJAS, COLOMBIA

COLOGNE CATHEDRAL GERMANY

F G L A S T O N B U R Y T O R Q
A L O U R D E S F R A N C E K S
T I G R S M E L A S U R E J K H
I M A V A J R U D O B O R O B W
M E C A S U D I M A R J Q G W E
A A I D N I E E R T I H D O B D
P K A R B A L A I R A Q O P P A
O D C G A P N O G R X L D W T G
R F A T M M A F D L S P C W F O
T I G E R S N E S T B H U T A N
U M T K A I L A S H T I B E T P
G L A S O N B V Y F W G P U G A
A N G E T M P L F M O N T L E G
L E C E E R G I H P L E D U E O
D N A L O P A R O G A N S A J D
M E C C A S A U D I A R A B I A

GLASTONBURY TOR
JASNA GORA, POLAND
MECCA, SAUDI ARABIA
TIGER'S NEST, BHUTAN
BODHI TREE, INDIA

KARBALA, IRAQ
DELPHI, GREECE
BOROBODUR, JAVA
TEMPLE MOUNT
JERUSALEM

LOURDES, FRANCE
MT. KAILASH, TIBET
FATIMA, PORTUGAL
SHWEDAGON PAGODA
MYANMAR

NEW ZEALAND

H O P U A T E K A L A N D S E T
O W W O R E C A M U D P O O L S
B R E N D P A T C C R B J E W L
B A Y O F A I K S L A O D G S E
I N G A N P L I R Y G S T L V V
T O R I R A G N O T T N U O M V
O T E P N M P F M U S E C W R Z
N L A D E U I I T S L L J W E S
M I L L I S N G E T A C N O W J
O M O U L E N C A R I R O R O B
V A R A C U K L D A N D J M T S
I H N A P M R E P A P A L C Y Y
E D S G A T H E D P A L C A K A
S W N O R T H I S L A N D V S R
E L E N A N O T G N I L L E W U
T E P C H R I E T E N B Y S N A

NORTH ISLAND
AUCKLAND
SKY TOWER
BAY OF ISLANDS
GLOWWORM CAVES
ROTORUA
MUDPOOLS
HOBBITON MOVIE SET
CATHEDRAL COVE
HAMILTON
MOUNT TONGARIRO
LAKE TAUPO
NAPIER
WELLINGTON
TE PAPA MUSEUM

S S E L A H W A R U O K I A K Q
S T E W A R T I S L A N D O D G
O C A L M O U N T C O O K L W K
U H C H B I S T G H V R C H N R
T R A N Z A L P I N E T R A I N
H I K A I O K F R N A W H S L S
I S G E F D S R O G N R L S Q G
S T E W O R E T A R W U E A K P
L C A K X E R N M M D K S P Q X
A H T H G R K S U P E S A S A N
N U E D L X E N I D U R O R V Z
D R E L A N W O T S N E E U Q T
X C Z U C R E G O R V J D H N S
C H R S I N A R K A B L S T T D
B U N G E E J U M P I N G R Y N
S I K A R O A L S N E L N A N D

SOUTH ISLAND
CHRISTCHURCH
STEWART ISLAND
KAIKOURA WHALES
FOX GLACIER
MOUNT COOK
AORAKI

TRANZALPINE TRAIN
QUEENSTOWN
DUNEDIN
MAORI

ARTHUR'S PASS
MILFORD SOUND
BUNGEE JUMPING
THE REMARKABLES

RUSSIA

U R G O L D E N R I N G E V M B
N A G R U K V E Y A M A M U K O
O E H E U V L A K I A B E K A L
V L V D O B S T O K P S Q O G S
O S I S H O S R Y C U U K R L H
S H U Q K E Z R A M P Y A T N O
I R K U I Y K T E L C R M E M I
B O L A Z H P G I T X G C M G B
I V A R H N A R L A E N H W T A
R E D E I T Q U O I V P A O F L
S T P E I R K U T S K E T C M L
K E I M S L B Y Y A P O K S T E
H F R M L T A Q R E M E A O R T
C E V L A D I V O S T O K M J Y
H K I Z N I T S K L A N D T S V
M A M A D Y E V C S U H D H H P

RED SQUARE
MOSCOW METRO
BOLSHOI BALLET
NEVSKY PROSPEKT
ST. PETERSBURG
HERMITAGE MUSEUM
GOLDEN RING
KIZHI ISLAND
LAKE BAIKAL
MAMAYEV KURGAN
VLADIVOSTOK
NOVOSIBIRSK
KAMCHATKA
IRKUTSK
TOMSK

EASTERN EUROPE

L I T H I L L O F C R O S S E S

A D V A R N S M E R D I U J I E

T I P R I G A O L D T O W N T A

V E Y O S B B O T P H J Y D A P

T N L L T R B Y S K E N N M I L

V I R O D E S S A D T M E K N A

L A T V L S M E C B N H I F A N

C R A A M T H K R V A E X P U E

H K R V M F Q V I L N I U S H H

I U A N I O S V M N G O I A T A

S V L O U R L M M C S E P W I R

I E V K A T H D A I V T A L L B

N I T S H R V C O Q N U E L V O

A K A L Y E J L A V T S Q P C U

U R M J A S F A P L A N K T S R

A I N O T S E N N I L L A T X T

TALLINN, ESTONIA
LAHEMAA
SEAPLANE HARBOUR
LATVIA
RIGA OLD TOWN
LITHUANIA
HILL OF CROSSES
VILNIUS

BELARUS
BREST FORTRESS
MIR CASTLE
MINSK
KIEV, UKRAINE
POTEMKIN STEPS
ODESSA
LVIV

MOLDOVA
CHISINAU

ENGLAND

```
A C H Y O R K M I N S T E R J H
S S T O N E H E N G E P L T B Q
T R R L M T L R A B S G T C V W
M E O W A R W I C K C A S T L E
I W N B H K S N M S V Q A S N S
C O E E G O E S H W D X C D H F
H T H S N O W D F N R H R L M F
A L T W I Z A R I D O O O O A I
E O F A M R T O N S F O S W N L
L O O P R E V I L X T Z D S C C
S P L H I T E C O S A R N T H E
M K E R B S L I F F R E I O E T
O C G T S E Q L D S T Y W C S I
U A N G E H P O R T S M O U T H
N L A K T C E J O R P N E D E W
T B L A H A M P T O N C O U R T
```

ANGEL OF THE NORTH
PORTSMOUTH
MANCHESTER
BATH
ST. MICHAEL'S MOUNT
YORK MINSTER
CHESTER ZOO
OXFORD
BLACKPOOL TOWER
LAKE DISTRICT
WHITE CLIFFS
LIVERPOOL
HAMPTON COURT
EDEN PROJECT
STONEHENGE
STRATFORD
WARWICK CASTLE
WINDSOR CASTLE
BIRMINGHAM
COTSWOLDS

AT THE HOTEL

A	R	C	O	N	D	I	R	S	P	V	W	V	S	W	P
C	T	H	S	G	J	J	E	C	D	R	R	B	W	K	E
Q	E	Y	P	B	A	G	G	A	G	E	J	N	I	W	Z
F	Y	I	P	M	G	B	A	H	N	N	B	E	M	R	K
B	C	H	E	C	K	I	N	Q	U	O	C	N	M	W	W
Y	N	O	R	N	B	I	A	D	N	I	Y	N	I	P	K
C	Y	I	S	R	Z	G	M	Q	V	T	U	U	N	W	A
S	R	P	L	P	I	R	L	R	Y	I	S	D	G	I	T
E	L	E	M	C	U	J	E	I	O	D	N	D	P	P	G
O	A	E	T	W	K	S	T	H	Z	N	H	D	O	I	Q
J	P	S	W	R	M	E	O	M	G	O	S	O	O	G	F
D	H	J	R	O	O	B	H	W	U	C	E	D	L	N	H
K	A	N	O	I	T	P	E	C	E	R	W	S	W	N	A
H	E	R	S	X	C	Z	H	D	S	I	H	S	B	W	D
P	Y	F	T	U	L	R	E	S	T	A	U	R	A	N	T
J	U	F	B	P	K	G	S	J	S	S	V	K	C	O	Q

TWIN BEDS
ROOM SERVICE
AIR CONDITIONER
HOTEL MANAGER
RESTAURANT
BAGGAGE
PORTER
GUESTS
TOWELS
CHECK-IN
RECEPTION
SWIMMING POOL

NEW YORK

N	Y	C	E	N	T	R	Y	A	W	D	A	O	R	B	S
M	N	H	N	A	T	W	A	L	L	S	T	R	E	E	T
Y	E	R	A	U	Q	S	S	E	M	I	T	B	V	U	A
C	H	Y	T	L	E	R	B	D	U	S	L	R	I	T	T
K	X	S	T	P	J	F	K	A	I	R	P	O	R	T	U
S	C	L	A	K	D	E	Z	X	D	N	A	N	N	A	E
N	Y	E	H	L	L	Q	A	T	A	X	B	X	O	N	O
W	F	R	N	H	Y	T	S	I	T	A	I	Z	S	E	F
R	C	B	A	T	W	R	I	Y	S	W	G	O	D	X	L
J	H	U	M	O	R	S	O	N	E	Q	A	O	U	Y	I
B	V	I	L	S	H	A	R	L	E	M	P	Y	H	C	B
I	C	L	H	F	P	O	L	H	K	L	P	P	U	B	E
L	E	D	D	N	M	W	F	P	N	R	L	X	F	O	R
Y	U	I	K	F	I	F	T	H	A	V	E	N	U	E	T
F	K	N	H	L	J	U	Q	U	Y	R	P	W	Y	H	Y
L	Y	G	D	Y	L	G	L	V	F	O	K	W	B	Y	K

CHRYSLER BUILDING
BIG APPLE
STATUE OF LIBERTY
CENTRAL PARK
MANHATTAN
HUDSON RIVER
TIMES SQUARE
YELLOW TAXIS
JFK AIRPORT
WALL STREET
FIFTH AVENUE
BRONX ZOO
BROADWAY
YANKEE STADIUM
HARLEM

FAMOUS BRIDGES

C	E	G	D	I	R	B	G	N	A	Y	G	N	E	H	C
H	G	R	G	R	S	T	A	R	I	M	O	S	T	H	D
B	D	E	P	O	Q	G	L	H	L	X	U	L	U	A	O
R	I	A	G	N	N	E	C	O	D	Y	L	M	T	S	J
O	R	T	S	B	Y	E	A	J	P	H	B	I	C	V	P
O	B	B	I	R	D	G	N	E	C	E	H	A	U	Y	O
K	L	E	R	I	Q	J	T	I	R	E	S	G	D	N	N
L	R	L	Q	D	T	B	A	B	Z	M	E	O	A	D	T
Y	A	T	E	G	D	I	R	B	O	T	L	A	I	R	E
N	E	B	J	E	V	I	A	F	I	W	J	U	V	S	V
B	P	R	C	F	D	V	B	Y	P	F	E	E	U	D	E
R	L	I	E	G	D	I	R	B	S	E	L	R	A	H	C
I	Q	D	E	H	L	J	I	C	E	T	W	Q	L	V	C
D	W	G	P	O	N	T	D	U	G	A	R	D	L	X	H
G	F	E	V	K	A	O	G	D	W	W	L	E	I	D	I
E	G	D	I	R	B	L	E	P	A	H	C	T	M	G	O

SI-O-SE-POL
CHAPEL BRIDGE
PONTE VECCHIO
GREAT BELT BRIDGE
CHENGYANG BRIDGE
ALCANTARA BRIDGE
BROOKLYN BRIDGE
MILLAU VIADUCT
PONT DU GARD
RIALTO BRIDGE
IRON BRIDGE
STARI MOST
PEARL BRIDGE
HUMBER BRIDGE
CHARLES BRIDGE

WORLD SPORTS EVENTS

M	O	N	R	S	R	E	T	S	A	M	E	H	T	M	P
2	P	L	L	U	V	O	O	5	Y	D	N	I	O	A	U
4	U	A	Y	C	G	R	4	N	D	R	B	N	U	A	C
H	C	N	U	M	Y	B	F	O	D	K	A	A	R	M	D
R	D	O	O	S	P	D	Y	I	X	C	F	C	D	E	L
S	L	I	U	D	W	I	A	W	O	H	I	O	E	R	R
O	R	T	S	E	E	O	C	G	O	J	N	G	F	I	O
F	O	A	I	T	F	L	R	G	X	R	A	R	R	C	W
L	W	N	B	F	A	A	B	L	A	4	L	N	A	A	A
E	T	D	R	Y	N	N	F	M	D	M	S	D	N	S	F
M	E	N	I	D	Y	5	L	I	I	S	E	Z	C	C	I
A	K	A	P	N	O	D	L	E	N	W	E	S	E	U	F
N	C	R	I	K	E	T	W	O	Y	A	Z	R	B	P	P
S	I	G	T	D	R	I	N	4	L	C	L	D	I	V	U
X	R	C	Y	B	R	E	D	Y	K	C	U	T	N	E	K
P	C	U	A	S	U	L	W	O	B	R	E	P	U	S	S

MONACO GRAND PRIX
INDY 500
24 HRS OF LE MANS
RUGBY WORLD CUP
UEFA FINAL
GRAND NATIONAL
US WORLD SERIES
STANLEY CUP
FIFA WORLD CUP
SUPERBOWL USA
OLYMPIC GAMES
AMERICAS CUP
THE MASTERS
TOUR DE FRANCE
WIMBLEDON
NBA FINALS
KENTUCKY DERBY
CRICKET WORLD CUP

FRANCE

G R U O B S A R T S Y R O W B H
L C C A R C A S S O N N E P L A
M A R S I E L E S O B W M A O M
F R C E T N H L Y H Q H V F I O
S N L H T X L L U C B E S O R N
V A R I A L U I P O N B S M E T
E C A R N R C A S D O N E O V S
R S T R Y B T S E R G M Y N A T
D T U O L U S R D T E I K T L M
O O I O R E F E E C A P L P L I
N N E C L I A V N S G H W E E C
G E O R E U V E I K U V C L Y H
O S E L X A O M A R S E I L L E
R O D E A U X T H J K C G I I L
G S M B L E U T C L L D C E C S
E L A R E I V I R H C N E R F R

BRITTANY
CHARTRES
CARNAC STONES
CHAINE DES PUYS
MONTPELLIER
VERSAILLES

MONT ST. MICHEL
STRASBOURG
TOULOUSE
BORDEAUX
VERDON GORGE
FRENCH RIVIERA

LYON
CHATEAUX
LOIRE VALLEY
LAVENDER FIELDS
CARCASSONNE
MARSEILLE

SPAIN

L A G R A S L D G W H C U X P C
C O R D O B A B U G D F J G A R
P A N P L O S E G O N I A G M T
C O S T A E A S G L W H J U P U
M A D R V D G G E D W X E C L E
B N D I R M R E N J I S F O O B
S O L E T C A X H S U R X S N A
C L T O L E D O E M W A D T A N
E E V I L S A A I C N E L A V R
G C K Q S R F L M I A H L D M E
P R A D G N A C B J M H U E U B
S A A G R D M L I I A F B L O L
M B E N O D I R L M R S P S S E
A C O B A Z L B B E N I D O R M
S F E N M D I R A Z R Q X L O M
L P A M P R A D O M U S E U M L

MADRID
CORDOBA
BENIDORM
EL BERNABEU
PRADO MUSEUM
LA SAGRADA FAMILIA
COSTA DEL SOL
BARCELONA
PAMPLONA
VALENCIA
GUGGENHEIM, BILBAO
DALI MUSEUM
ALHAMBRA
GRANADA
SEVILLE
TOLEDO

PORTUGAL

D O R O R E S T V A Z T C D I B
U A A B O D E R L I S B O N E O
L C S I N T R A G O T Q N J R H
M O N D E V R A G L A A V I C Q
B R G O V A L A U Y R G E T H C
C A R S M S Z D I B O V N L A A
C D Q A U O M V M O A S T S P B
P O R T R A N I A R A R O V E O
C B O E D R O S R G U I D L L R
U A S B E C A L A P A N E P O A
A C S N I O X R E N R M C P F D
F P T C E D B K S P T E R G B O
Y E L L A V O R U O D O I U O Q
G M A D E I R A W R E W S X N A
C A P E L O S E Y T V U T G E S
O P S I T N R A Q O I U O R S F

BELEM TOWER
PORTO
CHAPEL OF BONES
SINTRA
MONSANTO
AVEIRO
GUIMARAES
AZORES
MADEIRA
ALGARVE
COIMBRA
CASCAIS
LISBON
CABO DA ROCA
OBIDOS
PENA PALACE
BRAGA
CONVENTO DE CRISTO
EVORA
DOURO VALLEY

WALES

M L L N E M I U M C E N T S R N
A H T Y W T S Y R E B A N P S O
G C N W Y T W U C A R D I F F I
S T D A V I D S L T E E U P A R
F B L E R N G H W I C Y T P E I
E U J S M Z V M D A O I S E P E
E R T N E C M U I N N E L L I M
E S T F A G A N S T B S C T K T
H K B R E C O B E C E N E S N R
E V A L E D Y R S B A J V A V O
C B A L W H N P T V C B I C Y P
F S N O A A D O N I O A Y Y L M
S W N S B L E A D J N U B W O H
T S E B N F A Y B R S R N N X J
A D E V I L S B R I D G E O C P
B Y E S Y E L L A V E H T C O F

BRECON BEACONS
ABERYSTWYTH
THE VALLEYS
BALA LAKE
SWANSEA
CARDIFF
ST. FAGANS
PORTMEIRION
TINTERN ABBEY
MILLENNIUM CENTRE
CONWY CASTLE
DEVIL'S BRIDGE
SNOWDONIA
ST. DAVIDS
TENBY

US LANDMARKS

V E N O T S W O L L E Y M V A L

L L A H E C N E D N E P E D N I

G A T E W A Y A R C H N O I W B

R S I H W H T E H O I D M S W E

A V O O E R D A M C G O P N P R

N E N C E W C I E E U X O E S T

D G A T E W H B C N E V Z Y Z Y

C A L I F O E I T H T M E W D B

A S M E R A T R T P V K S O Z E

N S A T C Y U A L E A U X R A L

Y T L H K S N M F D H C P L M L

O R L A H D O F I V J O T D V J

N I T M A L M R L L J G U U E Z

R P O L H O O V E R D A M S L V

Y R P O E L O D N A R G G T E T

E N P T F S W Q L L E T S R C H

INDEPENDENCE HALL
THE WHITE HOUSE
GRAND CANYON
FLORIDA KEYS
LIBERTY BELL
HOOVER DAM
VENICE BEACH
GATEWAY ARCH
GRAND OLE OPRY
MOUNT RUSHMORE
LAS VEGAS STRIP
NATIONAL MALL
DISNEY WORLD
YELLOWSTONE
DODGE CITY

CENTRAL EUROPE

E L T S A C K R O B L A M Z M R
L N D A N S K I K Z Q Z K Z U N
T R I M S R O Y A L R O U T E W
S K Y M L B D R K I F T E Q S O
A U S C T A N D H W T Z G M U T
C H A R E L O S B T A L D B M D
E S L W E N A P O K A Z I L Z L
U E N A R C K S N A D G R M T O
G D A R I U R O W T A Z B A I N
A U C S W H D T Z O E I S W W U
R O Y A L N C U T E K P E Q H R
P C L W A N D E B J M A L Y C O
B I A L O W I E Z A F O R E S T
S B O N E C H U R C H Q A K U G
K P A N E Z K L A F V B H V A R
E V O L M U R K Y K S E C H I A

POLAND
WARSAW
ROYAL ROUTE
GDANSK CRANE
TORUN OLD TOWN
MALBORK CASTLE
BIALOWIEZA FOREST
AUSCHWITZ MUSEUM
KRAKOW SALT MINE
PRAGUE CASTLE
CHARLES BRIDGE
CESKY KRUMLOV
BONE CHURCH
ZAKOPANE
CZECHIA

T N E L T S A C E C I N J O B Q
A R L A I B E N V T X K S U A I
T S T E P A U B A Y S G P S M A
R I S L A V A D C P Q D Y Y I Z
A T A P T S E P A D U B H K E Z
M N C A R P A T N C H I A N A P
O J A Y I H D A J W A V L S I T
U F V J R N I D O E O S M L L N
N B A N L N E S T L G H T B A E
T S L A A B H V S D W C F L K M
A P S R A N U F O B R I D G E A
I U I T S P N J P L N F Z K B I
N P T L A R G P L M S Q W N L L
S L A V O D A B O U N I C L E R
T A R I V E R D A N U B E U D A
L U B L I A Y N A J B N W Q N P

SLOVAKIA
UFO BRIDGE

BRATISLAVA CASTLE
TATRA MOUNTAINS
BOJNICE CASTLE
BUDAPEST
PARLIAMENT
HUNGARY

BUDA CASTLE
RIVER DANUBE
LJUBLJANA
POSTOJNA CAVE
SLOVENIA
PIRAN
LAKE BLED

CHINA

Y	E	S	N	E	D	R	A	G	U	O	H	Z	U	S	D
T	H	F	B	U	N	C	E	S	Q	A	R	E	D	Q	P
E	I	N	G	J	A	N	G	V	O	U	H	L	A	G	E
M	S	A	K	Y	A	M	U	N	I	P	A	G	O	D	A
P	E	A	N	L	J	W	L	S	L	R	S	U	R	R	R
L	I	S	H	A	N	G	H	A	I	U	I	H	G	E	L
E	T	P	M	I	N	G	T	O	M	B	S	L	N	V	T
O	A	D	R	S	U	M	E	M	E	R	P	A	I	I	O
F	O	R	B	I	D	D	E	N	C	I	T	Y	J	R	W
H	G	A	R	D	E	R	S	N	S	K	R	N	N	W	E
E	N	N	H	L	P	O	P	G	S	E	A	I	A	O	R
A	T	U	I	A	L	F	W	L	U	Q	B	A	N	L	K
V	W	J	L	J	C	E	D	E	R	U	U	S	J	L	C
E	V	A	C	R	I	C	E	T	E	R	R	A	C	E	S
N	C	X	F	B	A	E	H	Y	T	R	N	T	R	Y	Y
E	B	I	D	D	N	U	B	E	H	T	R	Z	R	E	Y

BEIJING
MING TOMBS
FORBIDDEN CITY
SUMMER PALACE
TIANANMEN SQUARE

TEMPLE OF HEAVEN
SUZHOU GARDENS
RICE TERRACES
YELLOW RIVER
LI RIVER

SHANGHAI
THE BUND
PEARL TOWER
NANJING ROAD
SAKYAMUNI PAGODA

Z E M O G A O G R O T T O E S A

H T K T O S H W E Y H S X G N S

A L E S H A N B U D D H A I I F

N U B R E S N J V U D B H A A E

G A W G R E A T W A L C Y N T N

J I U Z H A I G O U F A C T N G

I U D D H A C D Y O N B E P U H

A O G A O G R O L G T O E A O U

J I N Z H A I L T O U K E N M A

I T E N A K A Z H T C V G D W N

E S H A N W E S T L A K E A O G

V I C O T R I A H A O A B S L C

T E R A I T A A R N Y A R Z L M

C H E V G D U E G S H E N M E P

Y R E L O W R I V R M Y A N Y G

G R U O B R A H A I R O T C I V

XIAN

FENGHUANG

YANGTZE RIVER

TERRACOTTA ARMY

GREAT WALL OF CHINA

YELLOW MOUNTAINS

MOGAO GROTTOES

GIANT PANDAS

JIUZHAIGOU

CHENGDU

HONG KONG

WEST LAKE

ZHANGJIAJIE

LESHAN BUDDHA

VICTORIA HARBOUR

GREAT ROAD TRIPS

KARAKORAM HIGHWAY	ROUTE 66	ICELAND RING ROAD
OCEAN DRIVE, USA	PIRATE ROUTE	ROUTE NAPOLEON
BADLANDS LOOP	GARDEN ROUTE	BASQUE CIRCUIT
AMALFI COAST	SKELETON COAST	YAXI SKYROAD
OMAN CIRCLE	COASTAL ROUTE 15	SILK ROAD

I L D A L T A N I C W Y A M 4 5
C 4 B C A L I F O R N I A 1 S 4
E N 1 C 4 M T U J U V G E 6 Z A
F O S C T O L G M T H 1 B Y D H
I R Y A W Y K S N A U J N A S A
E T C B O T W 4 Y 4 V H O W Z N
L H 1 O H U A Y C O S R Z H F A
D C O T A S 4 A R A C W T G N H
S O U T H E R N C I R C U I T I
P A G R 3 A T V T M V O F H N G
A S L A T L A N T I C R O A D H
R T 4 I S S A P O I V L E T S W
K 5 Y L V M C R A S S A V L 5 A
W O L P O W D E R H I G H W A Y
A O G R E A T O C E A N R O A D
Y A W C I T N A L T A D L I W Y

WILD ATLANTIC WAY
CABOT TRAIL
GREAT OCEAN ROAD
NORTH COAST 500
HANA HIGHWAY
SAN JUAN SKYWAY
ROMANTIC ROAD
POWDER HIGHWAY
ATLANTIC ROAD
STELVIO PASS
SOUTHERN CIRCUIT
CALIFORNIA 1
HIGHWAY 61
ICEFIELDS PARKWAY
RUTA 40

DENMARK

E	G	F	S	K	C	V	Y	E	I	J	U	G	V	I	S
G	L	S	E	N	O	T	S	G	N	I	L	L	E	J	A
D	B	T	I	Y	C	L	I	R	G	M	E	U	V	I	Q
I	H	U	S	H	Q	L	D	H	O	N	G	Q	Z	C	S
R	S	T	N	A	I	G	N	E	T	T	O	G	R	O	F
B	P	L	E	V	C	K	O	V	S	T	L	I	S	P	O
D	I	C	D	N	Y	V	H	A	N	A	A	R	H	E	L
N	H	A	R	Z	S	M	O	I	X	Z	N	H	E	N	E
U	S	B	A	C	H	A	L	K	Y	H	D	O	K	H	G
S	G	E	G	V	O	K	B	O	S	B	P	D	C	A	O
E	N	A	I	Z	S	A	H	A	H	E	F	X	B	G	H
R	I	T	L	N	K	S	N	C	M	N	G	M	T	E	O
O	K	A	O	D	E	N	S	E	A	L	R	E	J	N	U
G	I	M	V	L	I	E	W	V	L	O	G	O	I	Z	S
E	V	B	I	C	Y	C	L	E	S	Q	J	P	B	O	E
N	W	O	T	D	L	O	S	U	H	R	A	A	S	O	S

FORGOTTEN GIANTS
ORESUND BRIDGE
TIVOLI GARDENS
LEGOLAND
BICYCLES

NYHAVN
BORNHOLM
VIKING SHIPS
EGESKOV CASTLE
AARHUS OLD TOWN

COPENHAGEN ZOO
JELLING STONES
LEGO HOUSE
MONS KLINT
ODENSE

FAMOUS STATUES

P S W I N G E D V I C T O R Y T
I D N V I D O N L E N K A T T H
E E I M Y Z L A N D Z H I S I E
A A S D E M I L Q M C N N I S L
T H E L I T M S L B U P M R R I
N T D I A T E I P F T K U H E T
I N G D V I D R O R H Y L C C T
E A S T U R S E D E E E O D N L
L I N C O B U T D A T G C E A E
L G O H D T N S Q W H Z S L D M
M C A I A A E A D V I Y N I E E
T E R T A C V E H Y N L O E L R
S M S T H E K I S S K Z S V T M
N L S O N S C A D U E W L R T A
M O I A F A S O B H R L E C I I
L A I R O M E M N L O C N I L D

THE LITTLE MERMAID
NELSON'S COLUMN
WINGED VICTORY
THE THINKER
VEILED CHRIST
LITTLE DANCER
LESHAN BUDDHA
OLMEC GIANT HEADS
MOAI, EASTER ISLAND
LINCOLN MEMORIAL
STATUE OF UNITY
VENUS DE MILO
THE KISS
DAVID
PIETA

EGYPT

I	E	H	L	S	E	M	A	R	S	H	C	I	S	G	O
A	L	E	G	Y	P	T	I	A	N	M	U	S	E	U	M
G	A	I	R	Q	C	L	U	X	C	R	T	H	C	P	B
K	H	A	L	E	M	A	D	N	A	W	S	A	A	Y	M
A	L	E	X	A	N	D	R	I	A	D	M	R	I	R	C
R	E	S	S	E	H	N	L	H	A	E	E	M	R	A	C
N	B	A	S	T	E	K	N	P	L	D	G	E	O	M	I
A	M	U	R	N	A	K	L	S	S	V	W	L	C	I	Z
K	I	R	E	S	S	A	N	E	K	A	L	S	I	D	P
T	S	H	A	R	N	L	A	H	N	J	N	H	T	S	L
E	U	S	I	M	B	A	L	T	Q	A	U	E	A	O	U
M	B	H	I	N	X	B	J	P	A	G	H	I	D	F	X
P	A	R	A	M	T	D	S	P	M	I	J	K	E	G	R
L	U	X	E	L	P	M	E	T	R	O	X	U	L	I	O
E	T	P	L	E	M	K	I	T	I	B	W	O	E	Z	L
S	G	N	I	K	E	H	T	F	O	Y	E	L	L	A	V

PYRAMIDS OF GIZA
KARNAK TEMPLES
SHARM EL-SHEIK
CAIRO CITADEL
ALEXANDRIA
ABU SIMBEL

ASWAN DAM
LAKE NASSER
LUXOR TEMPLE
KHAN EL-KHALILI
EGYPTIAN MUSEUM
VALLEY OF THE KINGS

THE SPHINX
RED SEA
CAMELS

GREAT RIVERS

M	I	S	S	H	A	N	N	O	N	O	Z	A	M	A	C
E	R	I	N	O	N	R	E	V	E	S	U	W	N	Z	X
Y	E	N	I	S	E	I	S	K	E	N	C	A	M	P	F
A	M	L	Z	B	Y	E	L	L	O	W	R	I	V	E	R
C	O	B	I	R	T	Y	S	H	B	A	S	N	D	L	I
A	I	T	N	N	T	B	Q	N	P	S	L	O	F	M	O
Y	Y	D	D	A	W	A	R	R	I	Q	C	U	L	H	G
D	A	N	U	P	J	M	I	S	S	O	U	R	I	L	R
J	O	R	S	O	N	Z	S	D	N	I	E	P	E	R	A
R	H	I	R	E	G	I	N	I	C	Z	E	T	O	I	N
H	A	D	E	U	P	H	R	A	T	E	S	M	Z	Q	D
I	A	S	I	P	M	O	G	G	A	N	G	E	S	Q	E
N	E	R	I	O	L	L	N	Q	X	H	B	K	N	X	R
E	C	O	N	G	O	A	D	L	M	M	M	O	Q	V	E
B	N	W	E	V	Y	D	E	J	A	D	A	N	U	B	E
C	D	M	A	C	K	E	N	Z	I	E	Z	G	X	C	V

NILE	RIO GRANDE	NIGER	MISSISSIPPI	TIBER
SEVERN	OB-IRTYSH	CONGO	MISSOURI	INDUS
GANGES	ZAMBEZI	MURRAY	DANUBE	PARANA
YANGTZE	JORDAN	AMAZON	MEKONG	DNIEPER
MACKENZIE	YENISEI	SHANNON	VOLGA	ORINOCO
YELLOW RIVER	LOIRE	IRRAWADDY	RHINE	EUPHRATES

SPACE ROCKETS

A	R	I	A	M	F	5	B	D	G	S	T	1	G	K	H
N	D	E	L	T	A	I	V	H	E	A	V	Y	F	U	D
G	I	L	L	W	Z	S	K	V	I	U	F	Q	Z	P	O
A	X	P	W	E	P	A	R	I	A	N	E	V	H	Y	H
R	I	W	C	U	Q	F	S	E	C	H	O	T	C	J	K
A	N	G	T	Z	V	A	H	S	D	S	H	N	R	H	H
A	V	N	T	S	N	L	V	G	T	S	B	Y	A	P	S
5	I	D	1	W	S	C	A	O	N	Q	T	D	M	T	O
K	C	E	M	D	A	O	K	Y	J	F	1	O	G	B	V
A	Y	J	A	M	T	N	Y	I	R	P	J	H	N	G	G
M	1	Y	T	H	U	H	T	U	S	L	T	J	O	E	K
D	H	K	I	G	R	E	N	C	Z	V	1	E	L	T	O
S	P	U	I	I	N	A	T	I	T	1	L	J	D	S	B
Z	G	F	Q	M	V	V	S	Y	G	F	T	K	K	O	J
Y	P	5	M	S	W	Y	A	S	G	U	J	K	S	W	Y
B	R	S	E	L	T	T	U	H	S	E	C	A	P	S	H

SATURN V
SOYUZ
TITAN II
VOSHKHOD
DELTA IV HEAVY
V2
SPUTNIK
SPACE SHUTTLE SRB
ARIANE
FALCON HEAVY
VOSTOK
N1
REDSTONE
ANGARA A5
LONG MARCH 2F

SOUTHERN USA

L	O	U	S	N	A	E	L	R	O	W	E	N	F	H	A
S	A	X	E	T	N	O	T	S	U	O	H	Z	F	V	A
K	V	V	A	L	A	N	C	I	T	E	N	L	D	D	N
Z	N	D	X	S	M	O	K	H	M	O	U	N	I	N	A
U	A	T	P	I	E	X	B	P	X	S	A	R	Z	A	I
S	N	I	A	T	N	U	O	M	Y	K	O	M	S	L	S
C	Q	K	B	K	O	T	H	E	A	L	A	M	O	E	I
H	U	T	H	E	A	O	L	M	F	E	K	M	I	C	U
K	R	E	A	F	C	L	D	I	N	I	T	T	B	A	O
G	Z	N	N	H	I	Z	W	N	L	V	Z	S	D	R	L
L	K	N	E	V	E	R	G	L	A	D	E	S	X	G	V
Q	O	E	H	K	J	O	K	F	W	L	Z	R	E	D	C
M	I	S	S	I	S	S	I	P	P	I	R	I	V	E	R
T	A	S	T	R	C	L	L	E	H	C	D	O	J	R	F
N	R	E	T	N	E	C	E	C	A	P	S	E	T	M	Q
T	H	E	V	F	P	Q	L	A	D	E	H	I	N	I	H

HOUSTON, TEXAS
SPACE CENTER
THE ALAMO
LOUISIANA
NEW ORLEANS
MEMPHIS
TENNESSEE
SMOKY MOUNTAINS
GRACELAND
NASHVILLE
MISSISSIPPI RIVER
STEAMBOATS
FLORIDA
ORLANDO
EVERGLADES

LONDON

B	R	I	S	H	M	U	S	E	W	M	A	O	P	Y	Q
W	E	S	T	M	I	N	S	T	E	R	A	B	B	E	Y
M	A	D	P	M	E	T	U	S	M	W	Q	T	V	X	N
U	M	U	A	S	U	M	E	L	B	I	B	G	E	N	O
E	R	A	U	Q	S	R	A	G	L	A	F	A	R	T	D
S	I	S	L	O	N	D	O	N	E	Y	E	H	O	O	N
U	V	S	S	O	L	P	S	P	Y	M	C	Y	R	W	O
M	E	U	C	B	R	S	T	H	S	M	U	D	N	E	L
H	R	T	A	O	N	D	O	N	T	K	J	E	K	R	F
S	T	E	T	P	L	O	S	U	A	O	B	P	K	B	O
I	H	M	H	A	P	R	O	S	D	G	A	A	J	R	R
T	A	A	E	H	T	R	E	V	I	R	M	R	S	I	E
I	M	D	D	U	A	A	M	B	U	A	M	K	D	D	W
R	E	A	R	E	T	H	A	S	M	E	Z	T	S	G	O
B	S	M	A	O	X	F	O	R	D	S	T	R	E	E	T
E	C	A	L	A	P	M	A	H	G	N	I	K	C	U	B

HARRODS
BUCKINGHAM PALACE
BIG BEN
HYDE PARK
TRAFALGAR SQUARE
RIVER THAMES
TOWER BRIDGE
TOWER OF LONDON
WEMBLEY STADIUM
BRITISH MUSEUM
OXFORD STREET
MADAME TUSSAUDS
ST. PAUL'S CATHEDRAL
LONDON EYE
WESTMINSTER ABBEY
LORD'S

TALL BUILDINGS

A	R	E	W	O	T	A	R	M	A	H	L	A	B	S	S
B	L	E	B	U	R	J	K	H	A	L	I	F	A	R	N
E	O	I	W	1	0	1	I	E	P	I	A	T	E	J	R
N	T	A	N	O	8	S	H	R	Y	T	S	W	W	E	E
O	T	T	Z	A	T	K	X	O	D	M	O	N	W	H	W
H	E	L	I	Y	M	1	R	N	D	T	H	O	O	C	O
A	W	E	N	A	C	T	Q	A	S	W	T	U	H	C	T
R	O	N	A	S	B	N	T	A	M	M	Q	D	Z	L	I
U	R	J	K	H	A	L	N	A	O	D	1	Y	R	R	A
K	L	A	H	K	T	O	A	D	Y	Z	N	8	E	X	H
A	D	H	V	N	R	A	E	J	X	H	S	A	1	K	G
S	T	H	A	T	H	E	S	H	A	R	D	U	L	X	N
1	0	1	E	F	R	M	F	Z	V	R	T	N	1	K	A
T	W	P	S	F	J	W	B	G	E	L	B	A	A	S	H
B	E	R	E	T	N	E	C	A	T	H	K	A	L	R	S
G	R	A	N	D	A	Y	H	N	T	V	N	K	O	E	G

GRAND HYATT MANILA
TAIPEI 101
PETRONAS TOWERS
SHANGHAI TOWER
LANDMARK 81
ABENO HARUKAS
LAKHTA CENTER
FREEDOM TOWER
ABRAJ AL-BAIT
BURJ KHALIFA
AL HAMRA TOWER
THE SHARD
ICONSIAM
LOTTE WORLD TOWER
Q1 TOWER

AUSTRALIA

B	U	N	G	L	V	E	A	P	O	S	T	N	G	S	Y
T	H	E	P	I	N	N	A	C	L	E	S	N	V	E	Z
W	A	G	C	S	G	N	I	R	P	S	E	C	I	L	A
E	D	A	R	A	P	N	I	U	G	N	E	P	B	G	Q
L	N	B	I	E	K	L	E	W	R	S	E	O	T	N	V
V	A	L	C	I	A	E	S	P	R	R	I	N	G	U	S
E	L	B	K	W	K	T	E	R	T	A	C	M	K	B	W
A	S	K	E	L	A	G	O	H	W	O	D	E	V	E	F
P	I	L	T	I	D	V	U	C	O	S	A	L	C	L	K
O	P	I	G	S	U	R	E	B	E	V	N	B	A	G	O
S	I	H	R	K	U	B	E	R	Y	A	C	O	T	N	W
T	L	P	O	L	S	R	T	L	O	S	N	U	I	U	V
L	L	G	U	I	P	A	R	A	D	C	A	R	C	B	O
E	I	D	N	E	O	U	T	B	A	C	K	N	O	Z	G
S	H	A	D	A	B	O	R	I	G	I	N	E	S	A	H
B	P	Y	A	B	K	R	A	H	S	M	I	R	W	A	D

BUNGLE BUNGLES
KAKADU
DARWIN
PERTH
SHARK BAY
WAVE ROCK
THE PINNACLES
MELBOURNE
CRICKET GROUND
GREAT OCEAN ROAD
TWELVE APOSTLES
PENGUIN PARADE
PHILLIP ISLAND
ALICE SPRINGS
OUTBACK
ULURU
ABORIGINES
COOBER PEDY

G R E G D I R B R U O B R A H G

T A S M R N B A S T G N Z W K R

C S I D N F Y R S V C E F U A E

R N D B U L E Y I O A N T S N A

A I A D O I D A L S N B R E G T

D A R L I N G H A R B O U R A B

L T A B E D D A C A E A B E R A

E N P Y R E R I R A R T N A O R

M U S D B R I S B A R F I E O R

O O R A G S N A K E A N L S I I

U M E B E R O P E R A H O U S E

N E F C R A D L E M O C N T L R

T U R J C N Z D S U N Y H L A R

A L U I N G H A R B O V R K N E

I B S G R E T B A D E L A I D E

N T A I N S U R F S R E P A R F

SYDNEY
OPERA HOUSE
DARLING HARBOUR
HARBOUR BRIDGE
BONDI BEACH

GREAT BARRIER REEF
BLUE MOUNTAINS
CANBERRA
BRISBANE
SURFERS PARADISE

ADELAIDE
FLINDERS RANGES
KANGAROO ISLAND
CRADLE MOUNTAIN
TASMANIA

CALIFORNIA

E	I	S	R	E	Y	A	B	Y	E	R	E	T	N	O	M
Y	G	S	M	O	J	A	V	E	D	E	S	E	R	T	F
O	T	D	E	N	G	A	T	L	B	L	T	B	I	R	S
D	E	A	I	S	H	V	A	L	I	C	O	N	A	S	I
L	E	C	A	R	A	Z	I	A	S	L	N	H	H	A	L
T	R	D	R	A	B	M	O	V	B	N	W	T	P	N	I
N	T	I	S	C	O	E	Y	H	W	S	T	M	X	F	C
F	S	H	R	E	M	A	T	T	N	P	M	N	Q	R	O
S	D	N	A	L	S	I	Z	A	R	T	A	C	L	A	N
T	R	L	M	B	A	R	M	E	G	C	C	N	F	N	V
C	A	B	C	A	G	R	L	D	E	N	G	A	T	C	A
W	B	A	Y	C	E	O	R	T	E	X	E	A	V	I	L
S	M	A	C	H	I	N	A	T	O	W	N	D	L	S	L
Y	O	S	S	M	I	T	R	A	Z	G	I	A	L	C	E
S	L	I	C	K	R	A	L	E	T	I	M	E	S	O	Y
L	F	I	S	D	O	O	W	D	E	R	T	N	A	I	G

GOLDEN GATE BRIDGE
FISHERMAN'S WHARF
ALCATRAZ ISLAND
LOMBARD STREET
SAN FRANCISCO

CABLE CARS
CHINATOWN
SILICON VALLEY

GIANT REDWOODS
MOJAVE DESERT
MONTEREY BAY
DEATH VALLEY
YOSEMITE

HOLLYWOOD

S A N D C P U Z U B I L A M D Y
O S E L E G N A S O L F O L O U
R L A K F T I H B E Y U B X O B
S L N S T U V D I O N S E L W Y
D I Z N E Y E L G T N D S N Y G
S H U A T R R E S E A W O R L D
M Y D C A L S H U S T R J A L Z
H L N H L S A C R A M E N T O U
A R A M E S L K X K V D A L H R
F E L K T A S O E N U H S N C C
S V Y A M P T I R T E S K D F A
S E E M S E U E R W A L K C F T
G B N V E R D L Y H I H L S M N
D I S A N D I E G O Z O O U R A
S F I R E J O S H U A T R E E S
S A D I E G S D C Y U O K N Q W

HOLLYWOOD
DISNEYLAND
LOS ANGELES
BEVERLY HILLS
MOUNT SHASTA
SAN DIEGO ZOO
SACRAMENTO
SANTA CRUZ
SAN JOSE
MALIBU
BIG SUR
SEAWORLD
LAKE TAHOE
JOSHUA TREES
UNIVERSAL STUDIOS

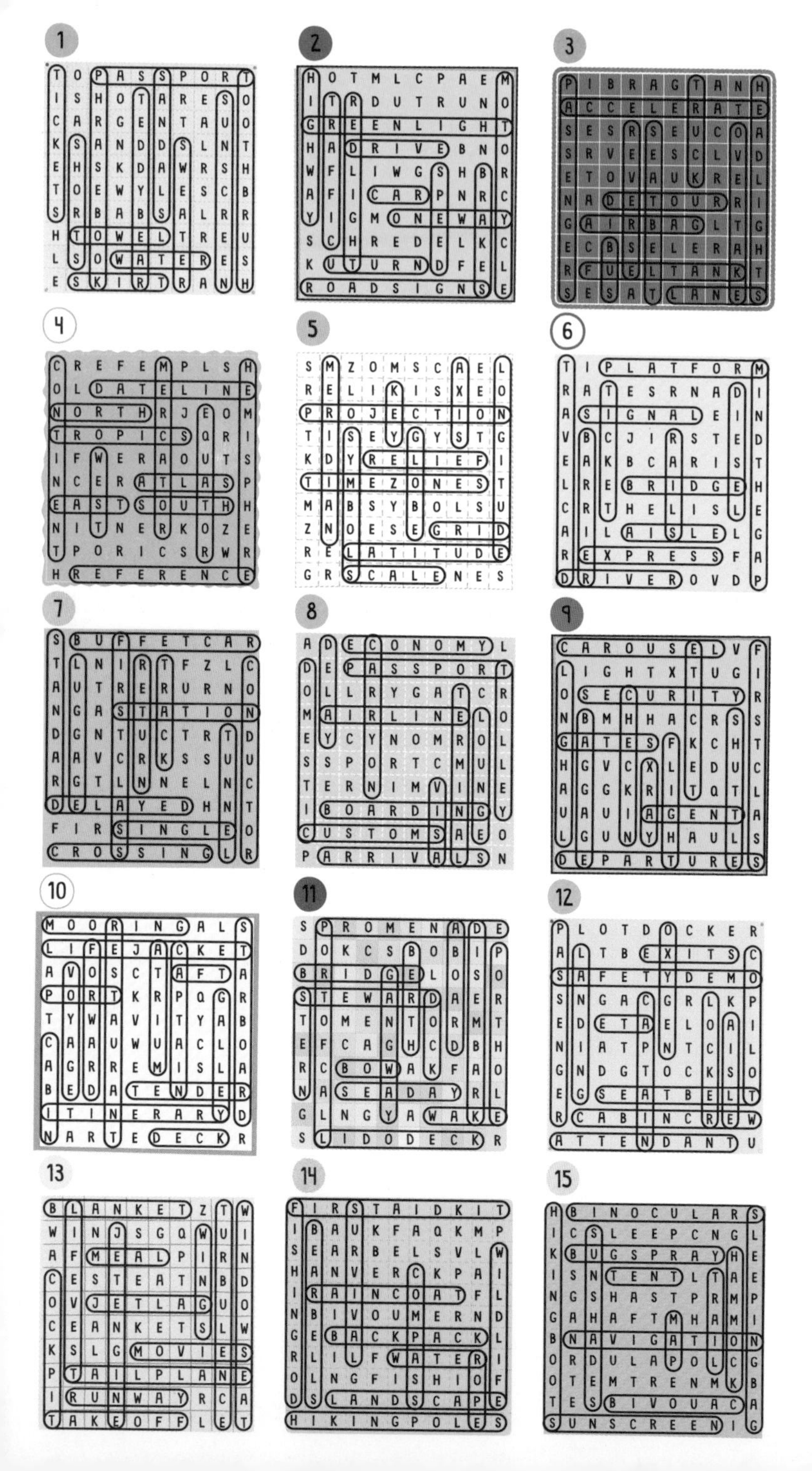

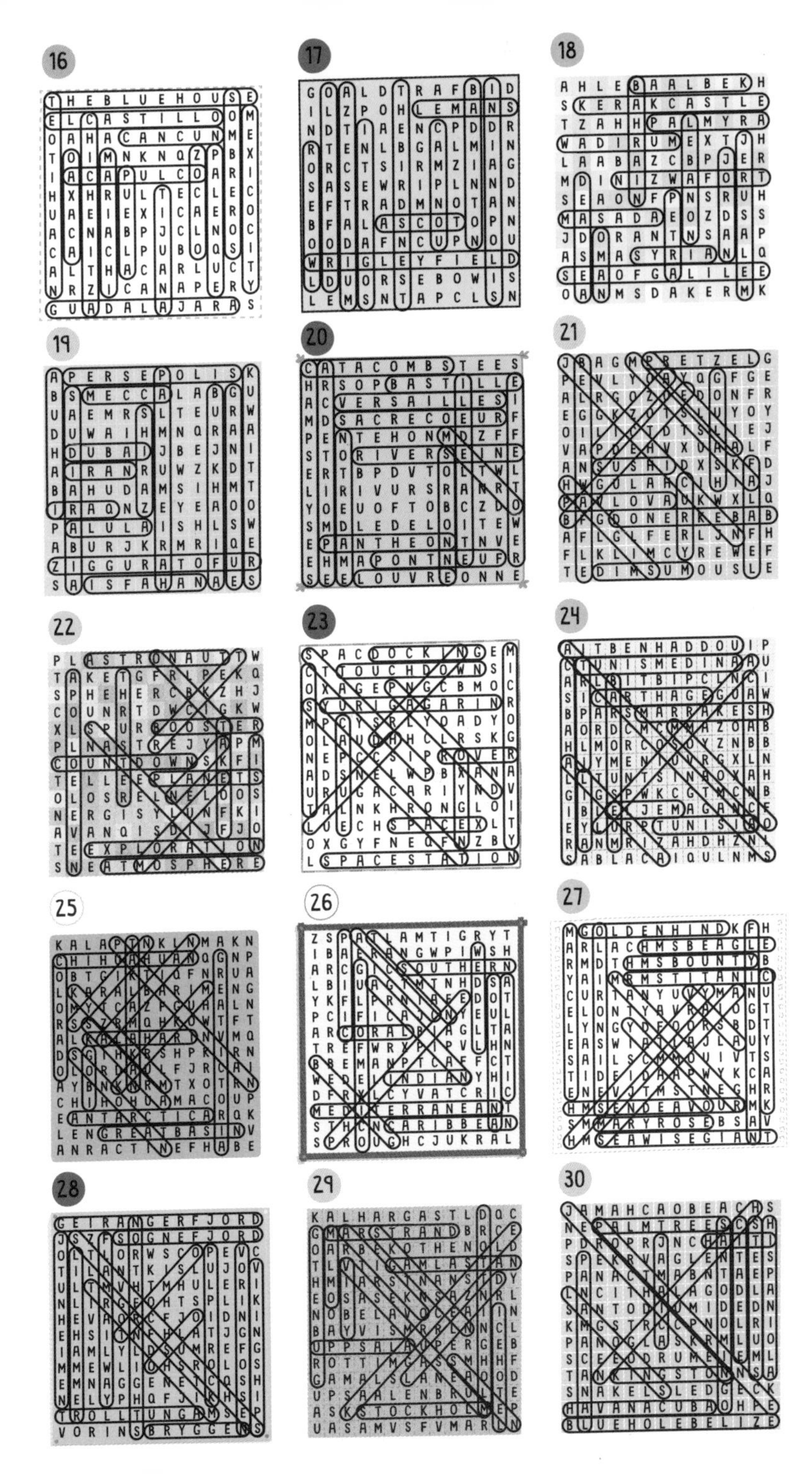

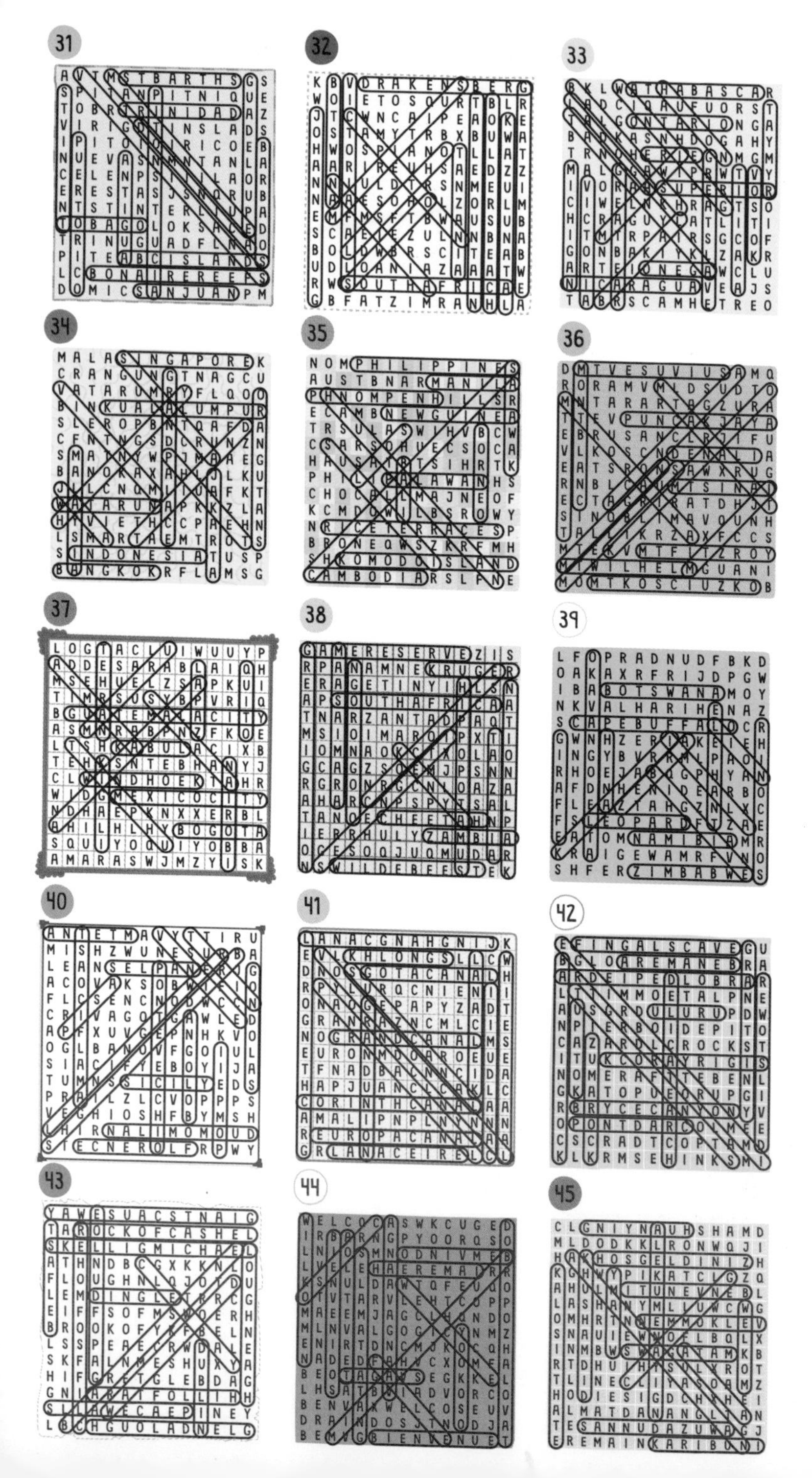

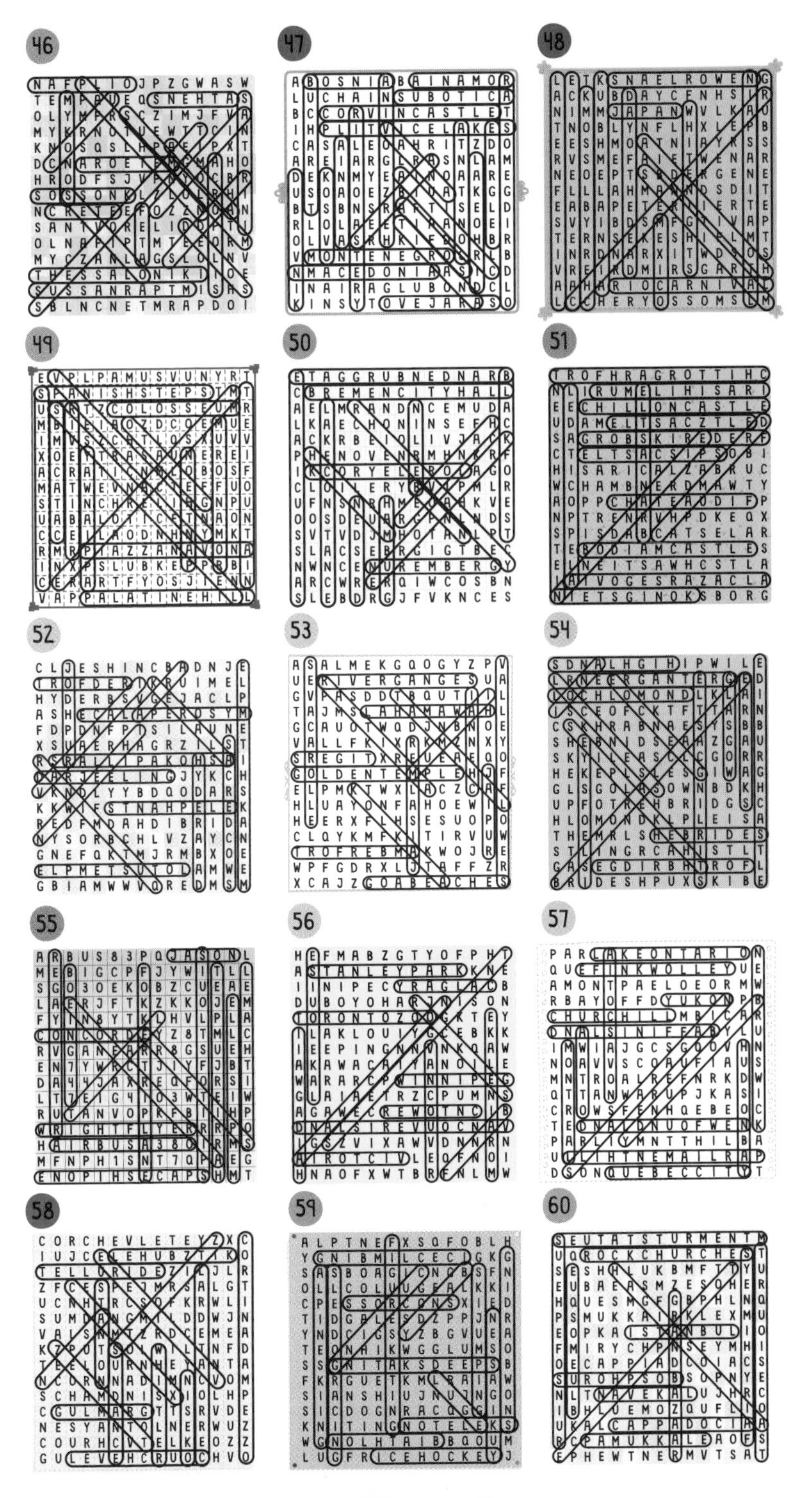
46
47
48
49
50
51
52
53
54
55
56
57
58
59
60

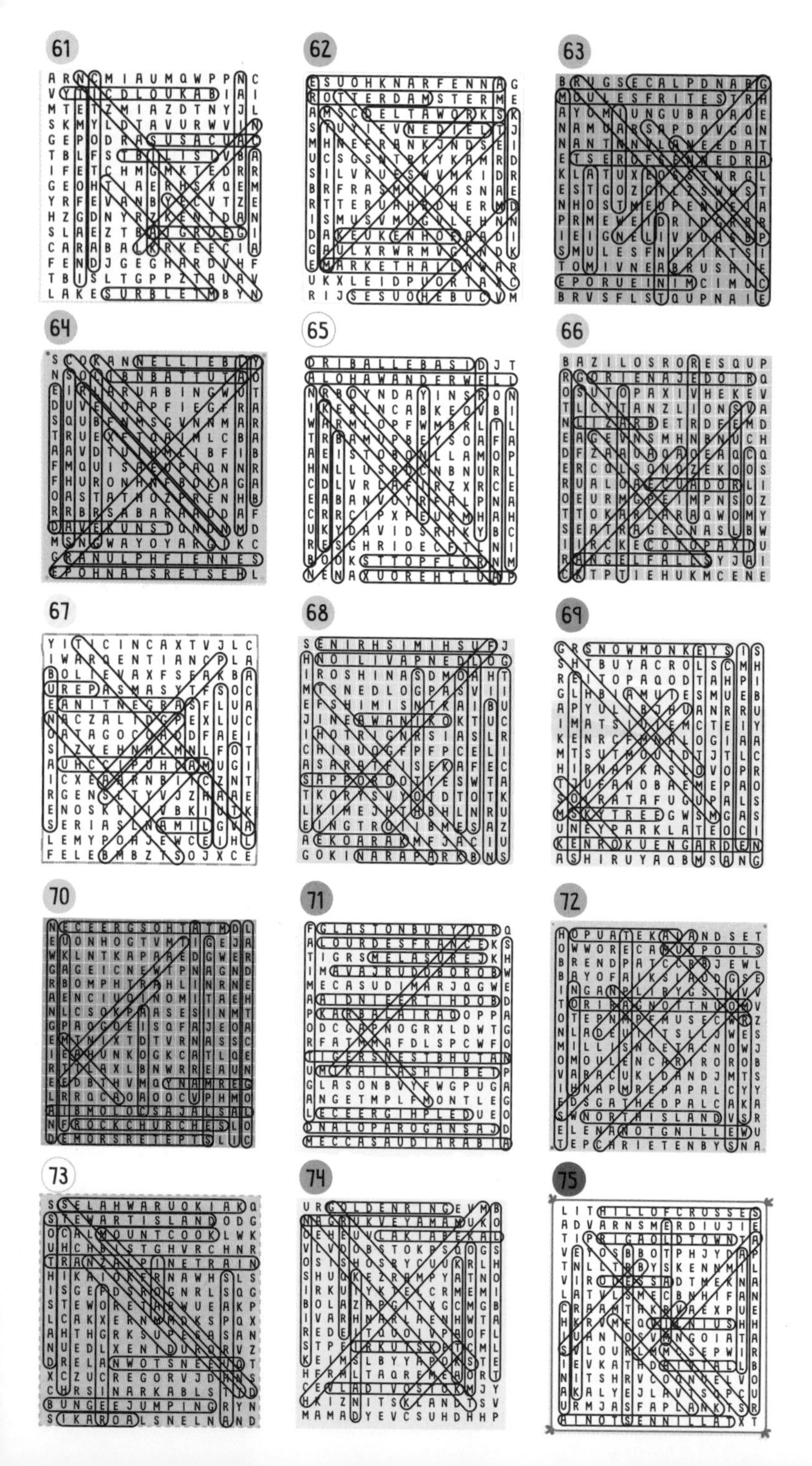
61
62
63
64
65
66
67
68
69
70
71
72
73
74
75

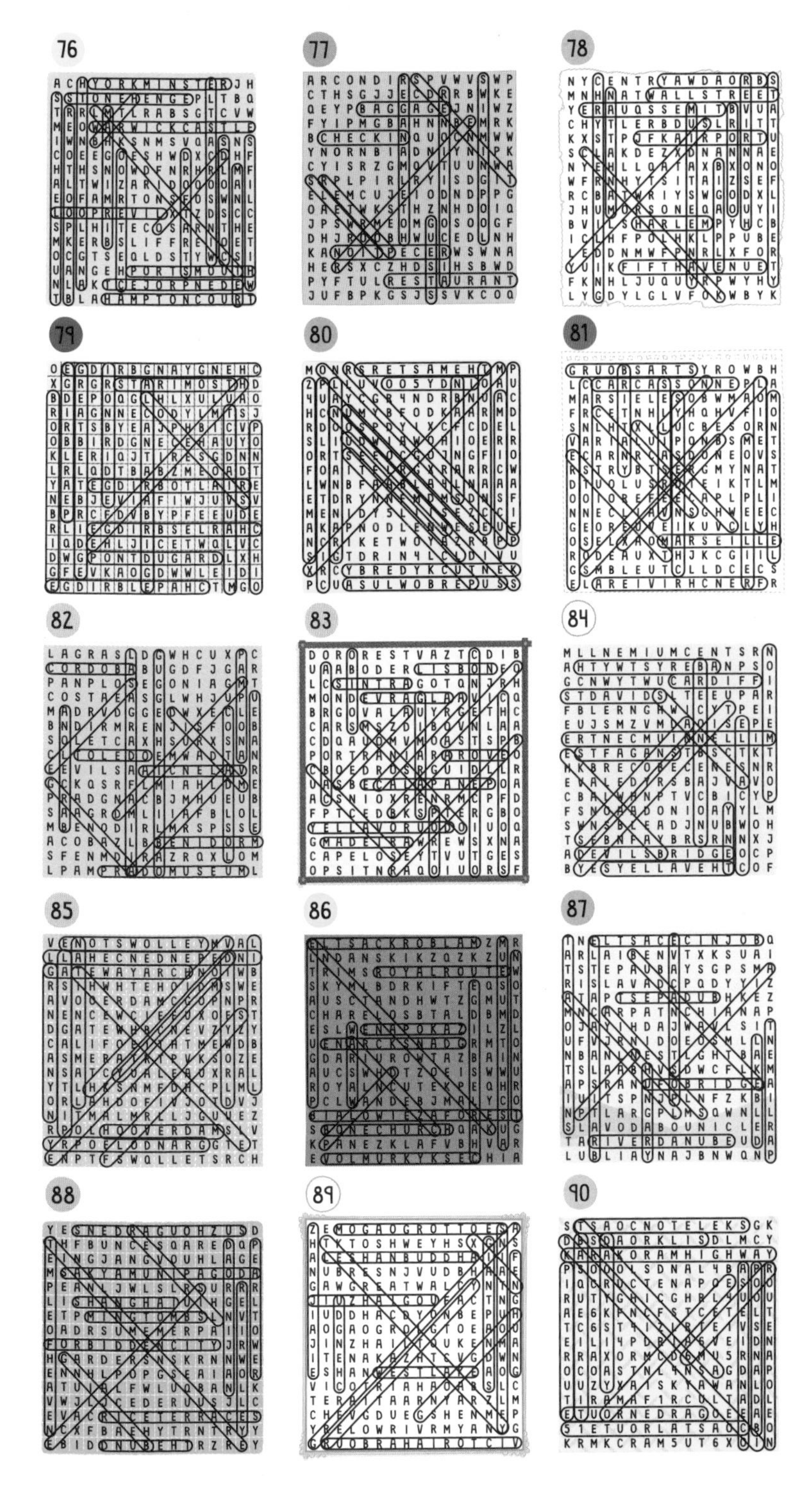
76
77
78
79
80
81
82
83
84
85
86
87
88
89
90

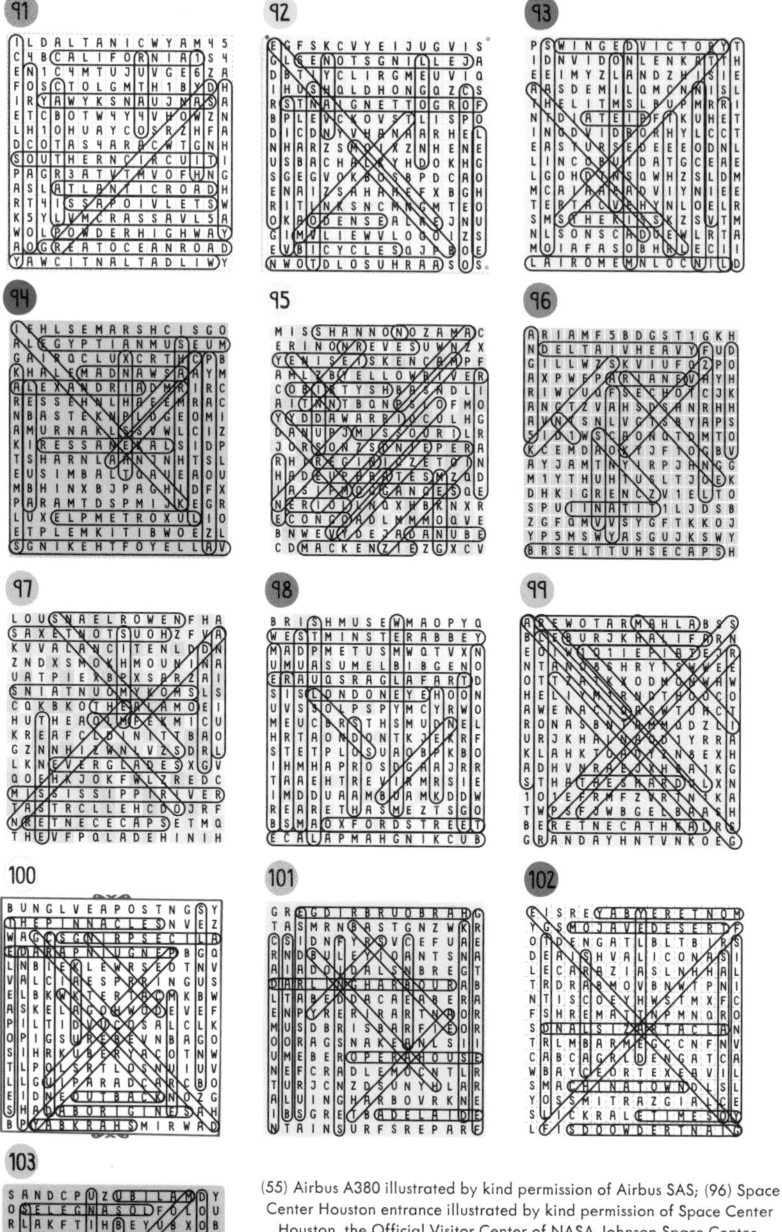

(55) Airbus A380 illustrated by kind permission of Airbus SAS; (96) Space Center Houston entrance illustrated by kind permission of Space Center Houston, the Official Visitor Center of NASA Johnson Space Center.

First published in 2020 by Usborne Publishing Ltd, 83–85 Saffron Hill, London EC1N 8RT, England. usborne.com UE. Printed in the UAE.